重读
《共产党宣言》

陈学明◎著

Reread
The Communist Manifesto

人民出版社

目　录

引　言

人类历史上第一个无产阶级政党叫做“共产主义者同盟”。1847年11月，“共产主义者同盟”在伦敦召开代表大会，会议委托两个年轻人以宣言的形式为同盟起草一个准备公布的完备的理论和实践的党纲。接受这一任务的就是马克思和恩格斯，他们当时一个30岁，一个28岁。他们认为：“现在是共产党人向全世界公开说明自己的观点、自己的目的、自己的意图并且拿党自己的宣言来反驳关于共产主义幽灵的神话的时候了。”（《马克思恩格斯

马克思（1818—1883），是全世界无产阶级和劳动人民的革命导师，是马克思主义的主要创始人，是马克思主义政党的缔造者和国际共产主义运动的开创者，是近代以来最伟大的思想家。

文集》第二卷，人民出版社 2009 年版，第30页；以下引用此书只注页码）于是，他们花了不到两个月时间，即从 1847 年 12 月至 1848 年 1 月底，在原有的两个文献，即《共产主义信条草案》和《共产主义原理》的基础上，写成了这一题为《共产党宣言》的著作。马克思把所完成的《共产党宣言》的稿本，从布鲁塞尔直接寄往伦敦的“共产主义者同盟”的党中央。1848 年 2 月 24 日，《共产党宣言》以“共产主义者同盟”的名义，在伦敦第一次用德文发表。

恩格斯（1820—1895），德国社会主义理论家、哲学家、马克思主义的创始人之一、国际无产阶级运动的领袖。

《共产党宣言》篇幅不大，译成中文只有区区 25000 多字，但其威力却犹如精神原子弹。它一问世，就震撼了整个世界。它的问世标志着这个世界上从此有了以马克思的名字命名的“马克思主义”，意味着从此世界的面貌将得以彻底改变，意味着苦难的工人阶级和整个人类可以获得新生了。

恩格斯在 1890 年德文版序言中说：“《宣言》的历史在某种程度上反映着 1848 年以来现代工人运动的历史。现在，它无疑是全部社会主义文献中传播最广和最具有国际性的著作，是从西伯利亚到加利福尼亚的所有国家的千百万工人的共同纲领。”（第 21 页）

正如恩格斯所说的，《共产党宣言》是全世界无产阶级的共同纲领，它是为“共产主义者同盟”起草的党纲，可实际上它成了世界五大洲各国共产党人公认的总纲。自从《共产党宣言》诞生以来，全世界的无产阶级和劳动人民就一直在它的指引下前进。它实际上是“全人类解放的一面旗帜”，是“人类历史上的一座丰碑”。列宁称其是“每个觉悟工人必读的书籍”。[1] 人类历史已经证明，并将继续证明，马克思和恩格斯这两个年轻人当年在《共产党宣言》中的深邃思考，犹如天边的晨曦，它预示着人类思想史上最壮丽的日出。

《共产党宣言》1890 年德文版扉页。

至今《共产党宣言》已出版有二百多种文字的上千个版本，其中仅中文版就有 23 种译本，发行量达数千万册之巨。如此多的版本，如此多的发行量，这在世界上实属寥寥无几，凤毛麟角。

当然，在人类历史上也曾有过广为流传的著作。但没有一部著作像《共产党宣言》那样真正改变人类历史的进程。历史上从未出现过用柏拉图思想武装起来的游击队，建立在笛卡尔思想上的政府，或者以黑格尔的理论为指导的工会组织。但《共产党宣言》与所有这些人的思想与著作不同，纵观它自问世以来的170年的人类历史，现实生活中的哪一重大的变革与进步不与它息息相关？

那么：

马克思和恩格斯这两个德国青年为什么在当时能写出这样一部令整个世界为之改变，让千百万人为之震撼的著作？

马克思和恩格斯在这一著作中究竟告诉了人们什么从而使之成为“全世界无产阶级的共同纲领”，“全人类解放的旗帜”，“人类历史上的一座丰碑”？

马克思和恩格斯写于170年之前的这一著作在当今世界是否还有着现实意义？

前进在中国特色社会主义大道上的中国人民如何自觉地以这一著作作为自己的精神武器？

这里，我们对这四个问题尝试做一回答。

一

“共产主义幽灵”催生了《共产党宣言》

“一个幽灵，共产主义的幽灵，在欧洲游荡。”（第 30 页）这是《共产党宣言》的第一句话。当“共产主义的幽灵”激荡欧洲大陆之际，《共产党宣言》也来到了这个世界上。如果没有“共产主义的幽灵”的出没，也就不可能“催生”《共产党宣言》。

《共产党宣言》出于马克思和恩格斯之手，但不能认为这是他们两人凭自己的智慧和才能面壁构思出来的。恩格斯在论述马克思主义何以能产生出来时指出，马克思主义决不是“某个天才头脑的偶然发现”，而是“两个历史地产生的阶级即无产阶级和资产阶级之间斗争的必然产物”。[2] 确实，如果说《共产党宣言》所创立的是一座马克思主义的真理大厦，那么这座真理大厦是按无产阶级的愿望，用无产阶级革命运动的经验构筑的，建筑师则是马克思和恩格斯。

任何一种新的社会思想和理论，只有当社会物质发展提出新任务时才能产生出来。毛泽东同志指出："由于欧洲许多国家的社会经济情况进到了资本主义高度发展的阶段，生产力、阶级斗争和科学均发展到了历史上未有过的水平，工业无产阶级成为历史发展的最伟大的动力，因而产生了马克思主义的唯物辩证法的宇宙观。"[3]毛泽东在这里说的是马克思主义哲学的产生，但实际上这对于整个马克思主义的产生也是适用的。

让我们把目光投向马克思和恩格斯写作《共产党宣言》时的19世纪40年代。

在西欧，从15世纪萌芽形成起来的资本主义生产方式，到了

马克思和恩格斯共同起草《共产党宣言》。

19世纪的英国工业城市曼彻斯特。

19世纪40年代，已经发展到了很高的水平：

先看看英国的情况。英国是恩格斯和马克思活动的重要国家。英国经过17世纪的资产阶级革命，资产阶级获得了政治统治权，资本主义从此飞速地发展。到了18世纪60年代，英国又率先发生了工业革命，用机器生产代替了手工操作，以机器生产的大工业代替了工场手工业，推动了社会生产力的发展。而到了19世纪40年代，资本主义社会化大生产在英国已发展到相当水准，英国成了当时的"世界工厂"，是当时世界上生产最发达的国家。

再看看法国的情况。法国是马克思早期活动的国家。法国经过18世纪末的资产阶级革命，推翻了封建专制制度，为资本主义的发展扫清了道路。19世纪二三十年代，法国又步英国的后尘，开始了工业革命，许多生产部门都采用了机器生产。到了19世纪40年代，法国的工业革命已处于完成阶段。

最后看看德国的情况。德国是马克思、恩格斯的故乡。与英、法两国相比，德国较为落后。但是，在19世纪三四十年代，德国也走上了工业革命的道路。特别是在与法国毗邻的地区，工业生产逐步采用机器，成为资本主义工业的先进地区。

但是，随着资本主义生产的高度发展，资本主义生产方式所固有的内在矛盾，即社会化生产和生产资料私人占有之间的矛盾日趋激化。所谓“社会化生产”就是意味着生产资料从原先的个人使用变为许多人共同使用，生产过程也成为互相联系的社会行动，而社会产品则变为大家共同创造的社会成果，这就与生产资料资本家私人占有之间形成尖锐矛盾。这种矛盾发展到一定程度，就会形成周期性的经济危机。1825年，英国发生了世界历史上的第一次生产过剩的危机。1837年英国再次爆发危机并波及了美国。1847年的危机更席卷了整个欧洲大陆。危机所到之处，商业停顿，市场盈满，产品滞销，银根奇紧，信用停止，工厂关门，银行倒闭，失业剧增，整个社会犹如得了一场大瘟疫。事实无情地告诉人们，资本主义生产关系日益成为生产力发展的镣铐，生产力正在挣脱资本主义生产关系，挣脱作为资产阶级及其统治的存在条件的生产关系。

资本主义社会化大生产的发展，以及与此联系在一起的资本主义所固有的矛盾的日益显露，是马克思主义产生的物质经济条件。在以手工劳动为基础的个体小生产条件下不可能出现《共产党宣言》

1842年英国曼彻斯特的罢工风潮。

这样的著作，在资本主义的简单协作和工场手工业阶段也不可能出现《共产党宣言》这样的著作。原因就在于，在资本主义生产状况尚不成熟的情况下，解决其矛盾的手段也只能隐藏在不发达的经济条件之中。而只有到了19世纪40年代，社会化大生产和资本主义私人占有之间的矛盾激化了，这一矛盾本身就孕育着解决矛盾的手段，也孕育着从科学理论上加以阐述的可能性。这说明，历史发展到这一时期，滋生了对社会的发展做出全面的了解、对社会发展的根本问题加以科学回答的迫切需求。《共产党宣言》正是适应这一历史需求诞生出来的。

与社会化大生产和资本主义私人占有之间的矛盾日益激化相伴随的是，无产阶级与资产阶级的矛盾也不断尖锐起来了。“资产阶级不仅锻造了置自身于死地的武器；它还产生了将要运用这种武器的人——现代的工人，即无产者”（第 38 页），“无产阶级经历了各个不同的发展阶段。它反对资产阶级的斗争是和它的存在同时开始的。”（第 39 页）起初，这种斗争是分散地自发地反对个别厂主的斗争；接着，发展到组织工人团体，进行经济斗争。而到了 19 世纪 30 年代，无产阶级反对资产阶级的斗争从单纯的经济斗争发展成为独立的政治运动。进入 19 世纪 40 年代，当时西欧的几个主要资本主义国家爆发了大规模的工人运动，开辟了无产阶级反对资产阶级斗争的新纪元。

请看从 19 世纪 30 年代至 40 年代期间，在西欧出现的三次主要工人运动：

1831 年 11 月和 1834 年 4 月，在法国里昂的无产阶级先后举行了两次工人起义。在这两次工人起义中，无产阶级把斗争矛头直指资产阶级，提出了“工作不能生活，毋宁战斗到死 ”的口号，这是无产阶级日趋成熟的标志，说明无产阶级已经带着自己的政治要求大步走上历史舞台。

在法国里昂发生工人起义后不久，英国工人掀起了宪章运动，成百万工人和劳动大众为争取以普选权为中心的政治权利而斗争。在斗争中，工人阶级建立了自己的第一个政治组织，即全国宪章协会。这场运动前后持续了 12 年之久。英国的工人在这场运动中虽然没有像法国里昂工人那样直接拿起武器，但其斗争矛头也是毫不含糊地指向资产阶级。英国工人宪章运动同样表明工人阶级已走上

1842年宪章派举行游行示威。

了独立的政治道路。

正当英国工人的宪章运动方兴未艾之时，在德国西里西亚爆发了纺织工人的起义。起义的工人同反动的军警展开了英勇的搏斗。尽管从规模来看，西里西亚的纺织工人起义不及里昂起义和英国宪章运动，但它明确地反对私有制，反对资本主义剥削。这说明，德国的无产阶级同法国和英国的无产阶级一样，也觉醒起来了。

上述这些独立无产阶级政治运动的出现，是《共产党宣言》诞生的阶级基础。所有这些斗争，尽管都被镇压了下去，但为马克思和恩格斯写作《共产党宣言》提供了宝贵的材料。随着无产阶级独立的政治运动的兴起，无产阶级迫切需要认识自己的历史地位和历史任务，了解资本主义制度究竟是一种什么样的制度，以及究竟如

1848 年 4 月 4 日宪章派在伦敦举行集会。

何去推翻这一制度，以使自己获得解放。也就是说，无产阶级迫切需要有一种科学的革命理论来指导无产阶级的革命运动。《共产党宣言》的诞生，也正是适应了这一时代的要求。《共产党宣言》是无产阶级解放斗争的思想表现，它标志着无产阶级由“自在的阶级”转变为“自为的阶级”，而无产阶级的斗争也由“自发的阶段”转变为“自觉的阶段”。

《共产党宣言》的诞生与19世纪三四十年代的无产阶级革命斗争之间的联系是如此密切，以至恩格斯在《共产党宣言》的1893年意大利文版序言中这样说道，“《共产党宣言》的发表，可以说正好碰上了1848年3月18日这个日子”，在这一天，“米兰和柏林发生革命”。恩格斯在这里发出感叹，不仅《共产党宣言》的写作背景是当时的无产阶级的革命斗争，而且连《共产党宣言》出版的日子竟然正好碰上了欧洲两个城市爆发了无产阶级革命。可以说，《共产党宣言》是在无产阶级反对资产阶级的“炮火”声中问世的。

19世纪40年代的西欧，已经具备了《共产党宣言》诞生的社会经济基础、阶级基础。但这仅仅是《共产党宣言》诞生的客观条件。问题在于，面对着同样的历史条件、理论成就，为什么马克思和恩格斯能写出这样一部改变整个人类命运的著作，而其他人却不能？是的，《共产党宣言》是顺应了时代的呼唤来到这个世界上的，但为什么这一著作偏偏出于马克思和恩格斯之手？这就涉及《共产党宣言》诞生的主观因素。

BIBLIOTECA DELLA CRITICA SOCIALE

CARLO MARX e FEDERICO ENGELS

IL MANIFESTO

DEL

PARTITO COMUNISTA

CON UN NUOVO PROEMIO AL LETTORE ITALIANO

DI

FEDERICO ENGELS

Centesimi 15

MILANO
Uffici della CRITICA SOCIALE
Portici Galleria, N. 23

1893

《共产党宣言》1893年意大利文版封面。

对于这一问题的简单回答是：马克思和恩格斯与同时代的某些人相比，具有双重的“优越性”：比起工人活动家，他们具有高度的理论素养；而比起那些蛰居书斋的学者，他们则具有强烈的现实关怀和实践经验。这样，他们既继承了人类优秀的遗产，又抓住了时代的脉搏，解决了人类所面临的迫切任务，从而写出了如此不朽的著作。

威廉·魏特林（1808—1871），德国裁缝，工人运动活动家，空想平均共产主义理论家。

说及19世纪三四十年代欧洲轰轰烈烈的工人运动，人们一定不会忘记在这些运动中所涌现出来的那些工人领袖。他们实际工作能力很强，在工人中也享有崇高的声望，但可惜的是他们缺乏理论素养。1846年初，马克思和恩格斯在比利时首都布鲁塞尔建立了共产主义通讯委员会，其中不少成员就是这样的人。威廉·魏特林（1808—1871）是个典型。他本来是个裁缝，后来成为德国工人运动的著名活动家，甚至对于法国的早期工人运动，他也做出过重大贡献。马克思曾经把威廉·魏特林于1842年出版的《和谐与自由的保证》一书，称为“德国工人的这部史无前例的光辉灿烂的处女作”。对于威廉·魏特林的这一著作，马克思这样说道：“只要把无产阶级巨大的童鞋同德国资产阶级极小的政治烂鞋比较一下，我们就能够预言德国的灰姑娘将来必然长成一个大力士的体型。”[4]

威廉·魏特林后来没有从“灰姑娘”长成“大力士”，原因就在于没有科学的理论支撑。他在这一著作中所表述的是一种空想共产主义的思想。他认为只要实现某个天才人物构思出来的社会制度，就能够废除资本主义制度，解决资本主义的矛盾。虽然他的思想有胜过圣西门等三大空想社会主义者的地方，但却依然是个空想社会主义者。由于缺乏像马克思、恩格斯那样的理论造诣，他不可能在空想社会主义的基础上继续前行，成为科学社会主义者。尽管马克思对他抱有很大的希望，曾经以满腔的热情，耐心地说服他用唯物史观重新审视自己往日的信念，但他终究执迷不悟。他不仅坚持其学说的落后面，拒绝接受马克思和恩格斯的批评，反而变本加厉地挑起争端，与马克思和恩格斯的观点公开对立。马克思和恩格斯主张，必须同“手工业共产主义”、“哲学共产主义”作斗争，应当力戒感情用事，因为感情只能使人晕头转向，目前还谈不上实现共产主义的问题。威廉·魏特林则相反，他完全感情用事，避开德国现实的斗争，竟然主张德意志立即从封建君主过渡到共产主义。就这样，正当马克思、恩格斯写出像《共产党宣言》这样的著作，把社会主义、共产主义从空想

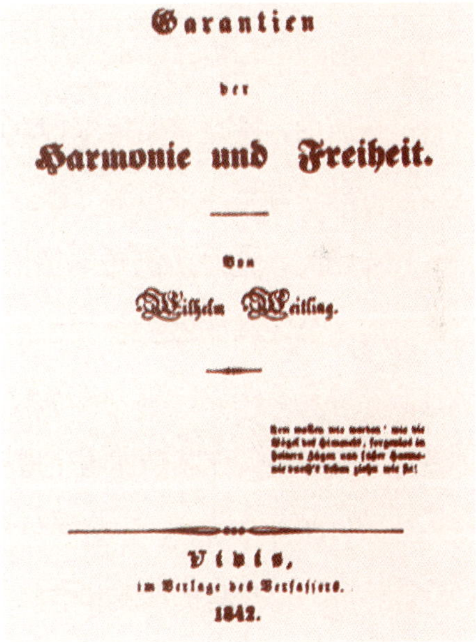

魏特林《和谐与自由的保证》一书的封面。

昂利·圣西门（1760—1825），法国空想社会主义者。

变成科学之时，威廉·魏特林却依然停留在空想的阶段。像威廉·魏特林这种由于缺乏理论素养无法实现从“空想的”向“科学的”转折的，当时绝不仅是他一个人。

马克思在大学求学期间参加过一个由一批青年知识分子组成的非正式学术团体——“博士俱乐部”。其成员都是黑格尔的“粉丝”，他们竭力吸取黑格尔哲学的革命性，借以批判普鲁士反动的意识形态。他们深信，黑格尔哲学是可以彻底解决一切重大问题的完整体系。他们经常相聚在柏林宪警市场的一个咖啡店内，围绕着黑格尔哲学的一些问题争论不休。这些人自成一派，即“青年黑格尔派”。马克思大学期间的许多活动都与这个俱乐部相关，他之所以转向黑格尔哲学，与参与这一俱乐部的活动密不可分，马克思曾把“博士俱乐部”称为自己的精神上的故乡。应当说，参与这一俱乐部活动的都是些青年才俊，他们博学多才，满腹经纶。尤其是作为“博士俱乐部”的思想领袖的布鲁诺·鲍威尔（1809—1882），更是学贯古今，才高八斗。他是柏林大学神学系教员，马克思的朋友和老师。他用拉丁文写的论文《论康德哲学的原则》，经黑格尔推荐获哲学奖。他在批判基督教的斗争中写下了大量著作。在这些著作中，他极端推崇自我意识的作用，并把自己的自我意识哲学称为“批判哲学”，扬言要通过批判来扫除现存事物中的一切不合理的东西。可是，这些以布鲁诺·鲍威尔为首的青年黑格尔派，由于远离当时的无产阶级革命斗争，热衷于抽象的哲学批判，非但没有像马克思和恩格斯那样从黑格尔出发走向新的世界观，相反越来越向右转，从黑格尔主义的左派回复到老年黑格尔派的立场。他们最后鼓吹一种不触动现状的“纯粹批判”。“纯粹批判”的要害一是否定一切，认为世界上没有肯定的东西，只有批判的否定才是永存的；二是宣扬所谓“理论的恐怖主义”，反对革命行动。马克思和恩格斯后来写了《神圣家族》一书，彻底清理了布鲁诺·鲍威尔一伙所宣扬的“纯粹批判”等反动观点。马克思和恩格斯把这部著作的书名定为《神圣家族》，是暗示布鲁诺·鲍威尔犹如耶稣，他手下的那一批人则犹如耶稣的门徒，合在一起与耶稣那个“神圣家族”毫无区别。而正当布鲁诺·鲍威尔醉心于“纯粹批判”之时，马克思和恩格斯则积极地投身于工人运动，深入实际生活。与此相应，他们经历了从参加青年黑格尔运动到与青年黑格尔派彻底决裂，从转向黑格尔到清算黑格尔的过程。他们从工人运动中吸取了丰富的养料，终于破解了现实社会中的一系列重大问题，写出了《共产党

沙尔·傅立叶（1772—1837），法国空想社会主义者。

宣言》，创立了作为无产阶级革命科学的马克思主义。

从上面与威廉·魏特林和布鲁诺·鲍威尔的比较中，我们可以知道，正是由于马克思和恩格斯既具有深厚的理论素养，又勇于面对现实才使他们成了"马克思主义者"。这是他们顺应时代的呼唤，写出《共产党宣言》的主观条件。

马克思和恩格斯既是"不朽的科学巨匠"，又是伟大的革命家。阅读《共产党宣言》，我们一定既能感受到马克思和恩格斯作为"科学巨匠"的那种透彻的论证和深邃的说理，也可体会到马克思和恩格斯作为"革命家"的那种蓬勃的激情和旺盛的斗志。

马克思曾说过："在科学上没有平坦的大道，只有不畏劳苦沿着陡峭山路攀登的人，才有希望达到光辉的顶点。"[5]马克思是这样说的，也是这样做的。他们所遇到的困难是难以想象的。饥饿、疾病、死亡，常常向他们袭来。马克思曾经这样对自己的朋友说："我一直在坟墓的边缘徘徊。因此，我不得不利用我还能工作的**每**时**每**刻来完成我的著作，为了它，我已经牺牲了我的健康、幸福和家庭。"[6]科学研究是一件极其严肃的事，它来不得半点的马虎和浮夸。作为"不朽的科学巨匠"，他们一向是一丝不苟地从事科学理论工

罗伯特·欧文（1771—1858），英国空想社会主义者。

作的；他们所引证的任何一件事实或者一个数字，都有充分的根据并且得到权威人士的证实。马克思在总结自己的科学研究道路时这样说道："在科学的入口处，正像在地狱的入口处一样，必须提出这样的要求：'这里必须根绝一切犹豫；这里任何怯懦都无济于事。'"（第 594 页）正因为马克思和恩格斯的理论是一种经过严峻、艰苦的研究得出来的科学理论，所以这一理论一旦形成就会产生无穷的力量。马克思主义之所以有力量，就是因为它是科学。马克思的女婿拉法格曾经这样描述马克思：他的头脑就像停在军港里生火待发的一艘军舰，准备一接到通知，就开向任何思想的海洋。

乔治·威廉·弗里德里希·黑格尔(1770—1831)，德国唯心主义哲学家，德国古典哲学的主要代表。

马克思在回答"什么是幸福"时，言简意赅地写道："斗争"。"斗争"是马克思和恩格斯终生矢志不渝的钢铁誓言，也是他们成为无产阶级导师的原动力。他曾经这样说道："工人阶级永远可以把我当做一个忠诚的先锋战士。"[7] 马克思从小立下"为人类工作"这一崇高目标。在中学毕业考试的一篇题为《青年在选择职业时的考虑》的作文中，他写道："如果我们选择了最能为人类福利而劳动的职业，那么，重担就不能把我们压倒，因为这是为大家而献身；

布鲁诺·鲍威尔（1809—1882），德国唯心主义哲学家，青年黑格尔派代表人物。

那时我们所感到的就不是可怜的、有限的、自私的乐趣，我们的幸福将属于千百万人，我们的事业将默默地、但是永恒发挥作用地存在下去，而面对我们的骨灰，高尚的人们将洒下热泪。”[8] 马克思在取得博士学位以后，本来可以到大学去舒舒服服地教书，但他为了拿起笔杆，更直接地与反动派进行斗争，就去办报纸——主编《莱茵报》。马克思以报纸为阵地，为捍卫受压迫、受剥削的贫苦群众的利益而大声呐喊。例如，当时莱茵省议会通过了一个林木盗窃法，把农民的孩子捡树枝也以“偷窃林木罪”加以惩治。马克思在《莱茵报》上发表一系列文章，揭露这个法案的反动性。他在文章中大声疾呼：我们要为穷人争权利！由于《莱茵报》具有革命的倾向，1843 年 1 月，普鲁士国王亲自主持内阁会议决定禁止该报出版。报纸的一些股东听到政府要查封报纸，就企图改变《莱茵报》的政治倾向以求得报纸的生存。马克思决不屈服于反动政府的压力，毅然退出了《莱茵报》编辑部。随即他带着新婚的妻子燕妮离开了德国，奔赴当时欧洲革命的中心——巴黎。在这里，他不顾反动警察的跟踪盯梢，一次又一次地到工人住宅区进行社会调查，和工人们亲切交谈，经常参加工人的集会，同许多国家的工人组织建立了广泛的联系。1845 年初，法国政府把马克思驱逐出境。马克思决定去比利时首都布鲁塞尔。普鲁士反动政府又向比利时当局施加压力，提出把马克思驱逐出比利时。马克思为了不让普鲁士政府再有借口来干涉自己活动，正式声明放弃普鲁士国籍。从此以后，他成了一个没有国籍的人。正如他自己所说：我是世界公民，我走到哪儿就在哪儿工作。

下面我们就具体看一看马克思从他成为“世界公民”到《共产党宣言》发表前后这几年时间里，他与恩格斯是如何投入到无产阶级革命斗争中去的。

马克思于 1845 年到达布鲁塞尔不久，就和恩格斯一起建立了共产主义通讯委员会。通过通信联系，传播革命思想，使分散在欧洲各国的共产主义者和团体之间加强了联系，为建立无产阶级政党准备了条件。当时有一个叫“正义者同盟”的秘密革命组织，它的领导人提出的口号是“人人皆兄弟”。这一组织在其领导人的影响下，

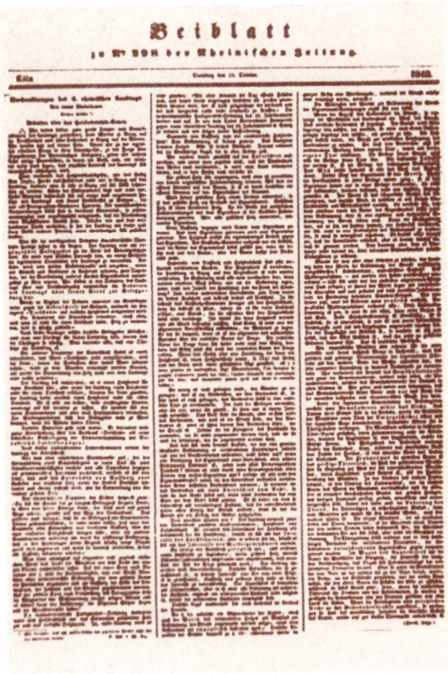
Beiblatt

发表在 1842 年 10 月 25 日《莱茵报》附刊上的《关于林木盗窃法的辩论》一文。

马克思的夫人燕妮·马克思（1814—1881）。

天真地劝说资本家把财产和权力拿出来，平均地分配给穷人。马克思和恩格斯一方面同他们保持通讯联系，另一方面以各种形式积极帮助他们认识错误，使他们走上革命的道路。1847 年初，马克思和恩格斯加入了“正义者同盟”。1847 年 6 月，恩格斯亲自出席了“正义者同盟”在伦敦召开的第一次代表大会。恩格斯在会上努力宣传自己和马克思的思想，结果大会将“正义者同盟”改为“共产主义者同盟”，用“全世界无产者，联合起来!”的战斗口号，取代了“人人皆兄弟”的旧口号。恩格斯还为“共产主义者同盟”起草了第一个纲领草案——《共产主义信条草案》。会后，恩格斯所起草的《草案》被发往多个国家并引起各支部广泛的民主讨论。这一讨论持续了几个月之久。期间，“真正的社会主义者”莫泽斯·赫斯炮制了另一个对恩格斯起草的草案的修正稿。1847 年 10 月 22 日，在巴黎“共产主义者同盟”区部委员会的会议上，恩格斯尖锐地批评了赫斯的修正稿。同年 10 月底到 11 月初，恩格斯在征求同盟盟员意见的基础上，对信条草案做了修改和补充，写成了《共产主义原理》。《共产主义信条草

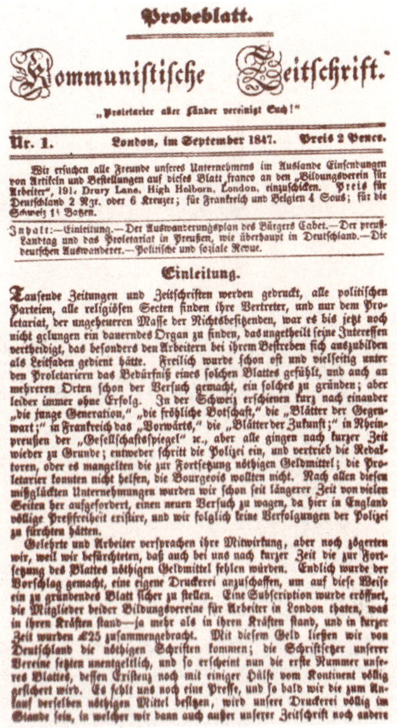

Probeblatt.

Kommunistische Zeitschrift.

„Proletarier aller Länder vereinigt Euch!"

Nr. 1. London, im September 1847. Preis 2 Pence.

Wir ersuchen alle Freunde unseres Unternehmens im Auslande Einsendungen von Artikeln und Bestellungen auf dieses Blatt franco an den „Bildungsverein für Arbeiter", 191, Drury Lane, High Holborn, London, einzuschicken. Preis für Deutschland 2 Ngr. oder 6 Kreuzer; für Frankreich und Belgien 4 Sous; für die Schweiz 1½ Batzen.

Inhalt:—Einleitung.—Der Auswanderungsplan des Bürgers Cabet.—Der preuß. Landtag und das Proletariat in Preußen, wie überhaupt in Deutschland.—Die deutschen Auswanderer.—Politische und soziale Revue.

Einleitung.

Tausende Zeitungen und Zeitschriften werden gedruckt, alle politischen Parteien, alle religiösen Secten finden ihre Vertreter, und nur dem Proletariat, der ungeheueren Masse der Nichtsbesitzenden, war es bis jetzt noch nicht gelungen ein dauerndes Organ zu finden, das ungetheilt seine Interessen vertheidigt, das besonders den Arbeitern bei ihrem Bestreben sich auszubilden als Leitfaden gedient hätte. Freilich wurde schon oft und vielseitig unter den Proletariern das Bedürfniß eines solchen Blattes gefühlt, und auch an mehreren Orten schon der Versuch gemacht, ein solches zu gründen; aber leider immer ohne Erfolg. In der Schweiz erschienen kurz nach einander „die junge Generation," „die fröhliche Botschaft," die „Blätter der Gegenwart;" in Frankreich das „Vorwärts," die „Blätter der Zukunft;" in Rheinpreußen der „Gesellschaftsspiegel" rc., aber alle gingen nach kurzer Zeit wieder zu Grunde; entweder schritt die Polizei ein, und vertrieb die Redaktoren, oder es mangelten die zur Fortsetzung nöthigen Geldmittel; die Proletarier konnten nicht helfen, die Bourgeois wollten nicht. Nach allen diesen mißglückten Unternehmungen wurden wir schon seit längerer Zeit von vielen Seiten her aufgefordert, einen neuen Versuch zu wagen, da hier in England völlige Preßfreiheit existire, und wir folglich keine Verfolgungen der Polizei zu fürchten hätten.

Gelehrte und Arbeiter versprachen ihre Mitwirkung, aber noch zögerten wir, weil wir befürchteten, daß auch bei uns nach kurzer Zeit die zur Fortsetzung des Blattes nöthigen Geldmittel fehlen würden. Endlich wurde der Vorschlag gemacht, eine eigene Druckerei anzuschaffen, um auf diese Weise ein zu gründendes Blatt sicher zu stellen. Eine Subscription wurde eröffnet, die Mitglieder beider Bildungsvereine für Arbeiter in London thaten, was in ihren Kräften stand—ja mehr als in ihren Kräften stand, und in kurzer Zeit wurden £25 zusammengebracht. Mit diesem Geld ließen wir von Deutschland die nöthigen Schriften kommen; die Schriftsetzer unserer Vereine setzten unentgeltlich, und so erscheint nun die erste Nummer unseres Blattes, dessen Existenz noch mit einiger Hülfe vom Kontinent völlig gesichert wird. Es fehlt uns noch eine Presse, und so bald wir die zum Ankauf derselben nöthigen Mittel besitzen, wird unsere Druckerei völlig im Stande sein, in welcher wir dann auch außer unserer Zeitschrift noch andere

《共产主义杂志》是共产主义者同盟的机关刊物，1847 年 9 月在伦敦只出了试刊。杂志标题下面印有马克思和恩格斯提出的战斗口号：“全世界无产者，联合起来!”

案》和《共产主义原理》反映了《共产党宣言》形成过程的最初阶段。1847年11月底，“共产主义者同盟”要在伦敦召开代表大会。恩格斯致信给马克思要他必须亲自参加，他对马克思说：“这次代表大会肯定是决定性的，因为这一次我们将完全按照我们自己的方针来掌握大会。”[9]结果，马克思和恩格斯两人一起参加了于1847年11月29日至12月8日在伦敦召开的“共产主义者同盟”代表大会。他们在会上阐述了科学共产主义的观点。接着，他们接受大会的委托，起草了作为该联盟纲领的《共产党宣言》。

莫泽斯·赫斯（1812—1875），德国哲学家、社会主义者。

就在马克思和恩格斯发表《共产党宣言》的1848年2月，欧洲大陆爆发了声势浩大的革命风暴。马克思和恩格斯奋不顾身地参加了革命。1848年2月下旬，巴黎工人冲进王宫，推翻了国王的反动统治。消息传到马克思所在的布鲁塞尔，群情激昂。工人们用短剑、手枪武装起来；马克思当即拿出数千塔勒（德国银币）赠给工人购买武器用。3月3日深夜，比利时警察闯进马克思家，拘留了马克思和他的夫人燕妮，抄了

1847年11月29日至12月8日，共产主义者同盟举行第二次代表大会。马克思和恩格斯出席了大会，并受委托为共产主义者同盟起草一个准备公布的详细的理论和实践的纲领。

他们的家，然后又把他们驱逐出境。马克思一家再次流亡到巴黎，他一到那里，马上组织了“共产主义者同盟”新的中央委员会，由

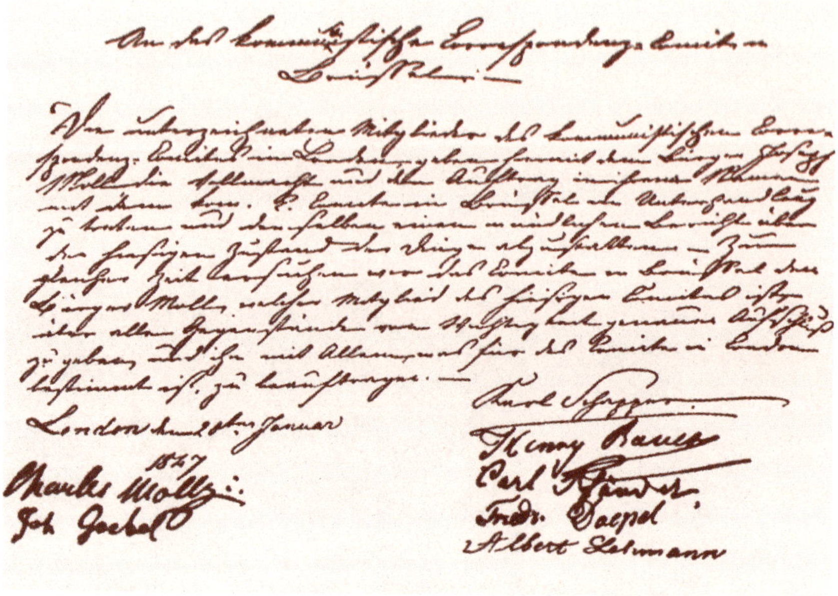

An das kommunistische Correspondenz-Comité in Brüssel

London den 20ten Januar 1847

Karl Schapper

Henry Bauer

Carl Pfänder

Fredr. Daepel

Albert Lehmann

Charles Moll

Joh Goebel

正义者同盟给约瑟夫·莫尔的委托书。

马克思亲自任主席，组织盟员积极投入这场革命风暴。不久，柏林爆发革命，马克思立即秘密回到柏林，直接领导柏林的革命斗争。他派出“共产主义者同盟”的盟员到德国各地去发动工人，推翻德国的封建专制统治。他还和恩格斯一起，创办了一份大型的革命日报——《新莱茵报》。该报一问世，马上发表一系列文章，这些文章就像榴弹似的打击敌人的要害。反动派以“煽动叛乱罪”多次逮捕并审问马克思。马克思在法庭上义正词严地说道：当国王实行反革命的时候，人民完全有权利用革命来回答它。法官们被马克思驳斥得哑口无言，被迫释放了他。以后，马克思就来到了伦敦，他与恩格斯一起，开始了新的战斗生活。

从马克思和恩格斯写作和发表《共产党宣言》的这几年投身于无产阶级革命斗争的实践中我们可以充分地领悟到，《共产党宣言》确实是马克思和恩格斯对发生于19世纪40年代中叶的西欧无产阶级反对资产阶级斗争的经验总结，同时又是他们带领无产阶级同各种冒牌社会主义思潮进行斗争所取得的理论成果，更是他们将科学理论运用于工人革命运动、创立无产阶级政党的产物。在一定意义上《共产党宣言》的产生，是“双向需要”的结果：从恩格斯起草的《共产主义信条草案》和《共产主义原理》试着被“共产主义者同盟”接受，再到后来马克思和恩格斯合作撰写的《共产党宣言》

法庭上的胜利（油画）李天祥、赵友萍作。

成为“共产主义者同盟”的纲领，我们可以看到当时的无产阶级需要马克思和恩格斯的科学理论指导，而马克思和恩格斯也需要无产阶级作为自己理论的阶级基础。

二

使世界为之改变的基本理论

读《共产党宣言》，犹如聆听《国际歌》，无产阶级和广大劳动人民顿时心潮激荡，热血沸腾，而资产阶级和一切剥削阶级则全身发抖，胆战心惊。这是为什么呢？原因就在于马克思和恩格斯在《共产党宣言》中提出了一系列鞭辟入里的理论，这些理论令无产阶级振奋，使资产阶级害怕。而《国际歌》实际上是《共产党宣言》基本原理的音乐体现，人们对《国际歌》的感受也就是对《共产党宣言》的感受。

那么，无产阶级和广大劳动人民究竟在《共产党宣言》中领悟到了一些什么，竟然把其奉为指引自己获取解放的“共同纲领”？

第一，《共产党宣言》在人类历史上第一次深刻地揭示出：“每一历史时代的经济生产以及必然由此产生的社会结构，是该时代政治的和精神的历史的基础”。（第 9 页）从此无产阶级和广大劳动人民知道了如何解开纷繁复杂的社会现象之谜。

人们生活在社会之中，但人们根本不知道社会是怎么回事。于是，很久以来，人们就试图探讨和说明“身临其境”的眼花缭乱的社会。

刚开始时，人们习惯于把还不明其原因的现象归之于偶然。但是，这些被视为偶然的力量却是那么地顽固，统治人们的时间又是那么地长久，这就使得人们不得不进一步去探究在这些偶然现象背后的东西。于是：

神学家乞求于超自然，即神灵，把历史的过程和人类的进步说成是超自然的力量、神灵的意志作用的结果；

客观唯心主义者认为人类的历史取决于某种社会之外的神秘的精神，这种神秘的精神实质上充其量是上帝的别名；

主观唯心主义把人自身的观念、思想当作社会历史的主要推动力，强调社会历史是按照杰出人物的意志来构造的。

无疑，所有这些解释都是用人为的、虚幻的联系来代替社会历史的内在的、真正的联系。循着这样的思路，是不可能解开社会之谜、历史之谜的。

与此同时，还有一些卓越的思想家，其中包括许多唯物论者力图用物质的原因来说明社会历史现象，并提出了一些有价值的论点。但他们的看法只具有部分的真理，他们并没有真正打开历史的殿堂。例如，18 世纪法国的唯物主义者曾提出过“人是环境的产物”的著名原理，但可惜由于他们把环境主要理解为是政体和立法，而又认为政体和立法的好坏主要取决于人们的理性，从而他们又提出了另一条相反的原理："意志支配世界"，这样他们就陷于这两个命题的不可解决的"二律背反"之中。

《共产党宣言》德文版封面。

如果说，人类经过了漫长的、艰难的历程，才懂得了在自然界的运动、变化和发展中存在着规律的话，那么人类发现社会生活也存在着客观规律，所经历的途程就更漫长和困难得多。一直到了马克思和恩格斯那里，确切地说，一直到马克思和恩格斯发表《共产党宣言》这一不朽的著作之时，才终于排除迷雾，找到了社会生活中的真实联系，揭示了人类社会的结构和社会运动的规律。这是个伟大的发现。恩格斯于马克思逝世以后，在为马克思落葬的仪式上的讲话中，认为这一发现的意义不亚于达尔文发现有机界的发展规律。

马克思和恩格斯所发现的社会发展规律就是：每一历史时代的经济生产以及必然由此产生的社会结构，是该时代政治的和精神的历史的基础。恩格斯在《共产党宣言》1883 年德文版序言中指出，这是"贯穿《宣言》的基本思想"（第 9 页），而在《共产党宣言》的 1888 年英文版序言中，恩格斯再次强调这是"构成《宣言》核

《共产党宣言》1948年俄文版封面。

心的基本思想”。(第14页)

马克思和恩格斯关于社会发展规律的伟大发现，实际上是找到了一个“历来为繁芜丛杂的意识形态”所掩盖着的“简单事实”：人们首先必须吃、喝、住、穿，然后才能从事政治、科学、艺术、宗教等活动。所以，直接的物质生活资料的生产，从而一个民族或一个时代的一定的经济发展水平，便构成基础，人们的国家设施、法的观点、艺术以至宗教观念，就是从这个基础上发展起来的。

贯穿于马克思和恩格斯的这一伟大发现的基本思想，就是把社会及其发展看作是自然历史过程。所谓自然历史过程，是指社会同自然界一样也是有规律的发展过程，社会规律也是客观的、必然的、不依人的意志为转移的。

马克思和恩格斯所揭示的社会历史发展规律具体地说就是：

生产关系一定要适应生产力状况。有什么样的生产力，就有什么样的生产关系。当生产关系适合生产力状况时，生产关系对生产力的发展起着促进的作用；而当生产关系不适合生产力的状况时，生产关系对生产力的发展就起着阻碍作用。在一定的条件下，不变革旧的生产关系，生产力就不能继续发展，这时就必须以主要精力去改变那种阻碍生产力发展的旧的生产关系。

上层建筑一定要适应经济基础的状况。整个社会好像一座极其复杂的建筑物，它有自己的基础，又有自己的上层建筑。经济基础与上层建筑的矛盾统一体就是社会形态。经济基础的需要决定上层建筑的产生，经济基础的性质决定上层建筑的性质，经济基础的变化发展必然引起上层建筑的变化。当上层建筑同自己的经济基础相适应，能满足经济基础的要求时，就对经济基础起巩固或促进的作用；当上层建筑的某些部分或环节同经济基础的要求不相适应甚至相违抗时，就会对经济基础起某种阻碍或破坏作用。

我们在《共产党宣言》的第一章“资产者和无产者”，读到这样描述资本主义社会的词句：“资产阶级在它的不到一百年的阶级统治中所创造的生产力，比过去一切世代创造的全部生产力还要多，还要大。自然力的征服，机器的采用，化学在工业和农业中的应用，轮船的行驶，铁路的通行，电报的使用，整个整个大陆的开垦，河川的通航，仿佛用法术从地下呼唤出来的大量人口——过去哪一个世纪料想到在社会劳动里蕴藏有这样的生产力呢？”（第36页）马克思和恩格斯在这里所说的正是资本主义的生产关系适应生产力、资本主义的上层建筑适应资本主义的经济基础时的资本主义社会的繁荣景象。马克思和恩格斯指出，由于封建的所有制关系，不再适应已经发展的生产力了，成了“束缚生产的桎梏”，于是它被“炸毁”了，“起而代之的是自由竞争以及与自由竞争相适应的社会制度和政治制度、资产阶级的经济统治和政治统治”，这样就

坐落在布鲁塞尔大广场的白天鹅饭店，马克思和恩格斯曾居住和工作过的地方。

大大解放和促进了生产力和社会的发展。他们强调的是："现代资产阶级本身是一个长期发展过程的产物，是生产方式和交换方式的一系列变革的产物。"（第 33 页）

当马克思和恩格斯笔锋一转，论述资本主义社会何以又陷入沉重的危机而不能自拔之时，他们运用的还是生产关系一定要适应生产力状况、上层建筑一定要适应经济基础状况的原理。他们这样说道："现在，我们眼前又进行着类似的运动。资产阶级的生产关系和交换关系，资产阶级的所有制关系，这个曾经仿佛用法术创造了如此庞大的生产资料和交换手段的现代资产阶级社会，现在像一个魔法师一样不能再支配自己用法术呼唤出来的魔鬼了。""社会所拥有的生产力已经不能再促进资产阶级文明和资产阶级所有制关系的发展；相反，生产力已经强大到这种关系所不能适应的地步，它已经受到这种关系的阻碍；而它一着手克服这种障碍，就使整个资产阶级社会陷入混乱，就使资产阶级所有制的存在受到威胁。资产阶级的关系已经太狭窄了，再容纳不了它本身所造成的财富了。”（第37页）

第二，《共产党宣言》开宗明义做出这样一个判断：“至今一切社会的历史都是阶级斗争的历史。”（第31页）从此无产阶级和广大劳动人民知道了推动社会发展的直接动力究竟是什么。

《共产党宣言》第一章第一句话就指出，至今一切社会的历史都是阶级斗争的历史。自人类社会分裂为阶级之后，经历了三个剥削阶级相继统治的社会形态，即奴隶社会、封建社会和资本主义社会。在这三个社会形态中，各自存在着两个相互对抗的基本阶级，即作为剥削者与统治者的奴隶主和作为被剥削者与被统治者的奴隶、作为剥削者与统治者的地主和作为被剥削者与被统治者的农民、作为剥削者和统治者的资本家和作为被剥削者与被统治者的工人。一部人类社会的阶级斗争史，具体地就是“社会

约瑟夫·魏德迈（1818—1866），德国和美国工人运动活动家。

发展各个阶段上被剥削阶级和剥削阶级之间、被统治阶级和统治阶级之间斗争的历史”。（第 9 页）

马克思和恩格斯在这里阐述了阶级社会发展的一般规律，指出被压迫阶级反抗压迫阶级的阶级斗争构成了阶级社会发展的直接动力。“压迫者和被压迫者，始终处于相互对立的地位，进行不断的、有时隐蔽有时公开的斗争，而每一次斗争的结局都是整个社会受到革命改造或者斗争的各阶级同归于尽。”（第 31 页）

马克思和恩格斯揭示了阶级斗争存在的客观必然性。这种必然性就来自于在阶级社会里生产力和生产关系、经济基础和上层建筑的矛盾。阶级斗争根源于由不同阶级对生产资料的占有关系以及在生产体系中所占的地位的不同，所引起的经济利益的不可调和。历史上，一切剥削阶级总是利用他们占有的生产资料和生产关系中的统治地位，使其剥削的欲望得到最大限度的满足，又必然要对被剥削阶级实行政治压迫和思想控制。被剥削阶级为了维持自己的生存，摆脱受剥削受奴役的地位，就不得不起来进行斗争，不得不起来反抗剥削阶级在经济上、政治上、思想上的剥削和压迫。他们要求获得自身的生存和解放，唯有起来进行斗争，别无选择。我们在上面指出马克思和恩格斯解开了社会现象之谜，这就是：生产关系一定要适合生产力状况，上层建筑一定要适合经济基础状况。按照马克思和恩格斯的解释，在一定的场合，这种适合是依靠阶级斗争来实现的。

非常清楚，阶级斗争理论属于《共产党宣言》所阐述的基本原理，是《共产党宣言》的核心思想，它像一根红线贯穿于《共产党宣言》的始终。恩格斯在谈到这一理论时，不只一次地强调这个发现是属于马克思的。他说："在我看来这一思想对历史学必定会起到像达尔文学说对生物学所起的那样的作用"，并指出他们两人"早在1845年前的几年中就已经逐渐接近了这个思想"，到1845年春他在布鲁塞尔再次见到马克思时，马克思"已经把这个思想考虑成熟"，并且已用"明晰的语句"向他说明了。（第14、15页）

正因为阶级斗争理论在《共产党宣言》，乃至在整个马克思主义理论体系中占有如此重要的地位，马克思主义和阶级斗争理论有着不可分割的内在联系，所以一当在无产阶级运动内部有人出来否定这个理论之时，马克思和恩格斯马上会毫不留情地提出批评。1879年，马克思和恩格斯就针对当时无产阶级运动内企图取消阶级斗争的倾向郑重声明："将近40年来，我们一贯强调阶级斗争，认为它是历史的直接动力，特别是一贯强调资产阶级和无产阶级之间的阶级斗争，认为它是现代社会变革的巨大杠杆；所以我们决不能和那些想把这个阶级斗争从运动中勾销的人们一道走。"[10]他们在《共产党宣言》1872年德文版序言中曾指出："这个纲领现在有些地方已经过时了"，与此同时他们又指出："不管最近25年来的情况发生了多大的变化，这个《宣言》中所阐述的一般原理整个说来直到现在还是完全正确的。"（第5页）显然，在他们看来，阶级斗争理论不在他们认为随着时间的推移"已经过时"的那些内容的范围之内，而属于他们认为不管情况发生多大变化仍"完全正确"

的范围。正因为如此，他们坚定地告诫无产阶级和广大劳动人民："只要取消了阶级斗争，那么无论是资产阶级或是'一切独立的人物'就'都不怕和无产者携手并进了'！但是上当的是谁呢？只能是无产者。"[11]

论述《共产党宣言》的阶级斗争理论，不能不提及马克思在1852年致约·魏德迈的信中的那段著名的话。马克思在那封信中说道，"无论是发现现代社会中有阶级存在或发现各阶级间的斗争，都不是我的功劳"，"在我以前很久，资产阶级历史编纂学家就已经叙述过阶级斗争的历史发展，资产阶级的经济学家也已经对各个阶级作过经济上的分析"。"我所加上的新内容就是证明了下列几点：(1) 阶级的存在仅仅同生产发展的一定历史阶段相联系；(2) 阶级斗争必然导致无产阶级专政；(3) 这个专政不过是达到消灭一切阶级和进入无阶级社会的过渡"。[12] 我们可以按照马克思在这里所提供的思路，来理解《共产党宣言》的阶级斗争学说的理论创造：

首先，应当说，马克思和恩格斯写作《共产党宣言》时，人们对人类的史前史还不甚了解。一直到摩尔根的《古代社会》一书的出版，人们才开始真正研究人类史前史。恩格斯于1884年推出《家庭、私有制和国家的起源》一书，标志着人们对史前史已有了清晰的了解。1888年恩格斯在《共产党宣言》的英文版上，对《共产党宣言》的"至今一切社会的历史都是阶级斗争的历史"的论断特地加了一个注，说明这里所说的"至今一切社会的历史"应当明确为"这是指有文字记载的全部历史"，或者说是指"原始公社解体"

以来的全部历史。（第 31 页）恩格斯所加的这个注使《共产党宣言》的这一重要论断更为科学、准确。实际上，纵观《共产党宣言》的全部论述，马克思和恩格斯正是强调了阶级不是从来就有的，而是同社会分工的发展，以及与之相应的生产资料私有制的出现密不可分。确实，马克思和恩格斯在这里开创性地把阶级的存在与生产发展的一定历史阶段联系在一起。

其次，马克思和恩格斯在《共产党宣言》中除了阐述阶级社会发展的一般规律外，还着重论述了资本主义社会中无产阶级与资产阶级之间的斗争的特点。他们不但提出在无产阶级反抗资产阶级统治的斗争中，“一切阶级斗争都是政治斗争”（第 40 页），而且还特别指出，无产阶级必须“用暴力推翻资产阶级而建立自己的统治”（第 43 页），无产阶级要从非人的生活条件下真正获得解放，“第一步就是使无产阶级上升为统治阶级”，即夺取政权，建立自己的“政治统治”，建立无产阶级专政。在此基础上，利用自己的政治统治，“一步一步地夺取资产阶级的全部资本，把一切生产工具集中在国家即组织成为统治阶级的无产阶级手里，并且尽可能快地增加生产力的总量”。（第 52 页）马克思和恩格斯在这里最鲜明地表述了“无产阶级专政”这一“最卓越”的思想。

最后，马克思和恩格斯在《共产党宣言》中用历史唯物主义的观点分析了无产阶级政权和国家的历史作用。在他们看来，当无产阶级政权完成了自己的历史使命之时，“公共权力就失去政治性质”。也就是说，一旦消灭了阶级对立的存在条件，消灭了阶级本身存在的条件，无产阶级的政治统治也就消失了。马克思和恩格斯在这里最深刻地阐明了国家政权、无产阶级专政是一个历史的范畴，它总有一天要退出历史舞台的。

第三，《共产党宣言》向全世界宣告："资产阶级的灭亡和无产阶级的胜利是同样不可避免的。"（第 43 页）从此无产阶级和广大劳动人民知道了什么是人间正道、人类社会究竟会走向哪里。

虽然马克思和恩格斯是在《共产党宣言》的第一章的结尾处用明确的语言做出"资产阶级的灭亡和无产阶级的胜利是同样不可避免的"这一结论的，但实际上《共产党宣言》的每一部分都是围绕着这一主题展开的。

可以把《共产党宣言》所全面论证的"资产阶级的灭亡和无产阶级的胜利是同样不可避免的"这一理论，简称为"两个必然"理论。"两个必然"理论也可规范表述为"资本主义必然灭亡、社会主义必然胜利"，或者"社会主义、共产主义必然代替资本主义"。"两个必然"是共产主义信念的最重要的理论根据。马克思和恩格斯在《共产党宣言》1882 年俄文版序言中指出："《共产党宣言》的任务，是宣告现代资产阶级所有制必然灭亡。"（第 8 页）马克思和恩格斯《共产党宣言》中的"两个必然"的结论实际上为资本主义社会下了"死亡判决书"，所以整个资本主义世界都把《共产党宣言》视为洪水猛兽，而无产阶级和广大劳动人民则从中获取了无穷的精神力量。他们树立了"两个必然"的坚定信念，义无反顾地为实现崇高的理想而努力奋斗。

关键在于，马克思和恩格斯做出这样一个结论是建立在严密的科学论证的基础上的，因此是无可辩驳、毋庸置疑的。马克思和恩格斯所说的“必然”，不是从理性或道德的“应然”出发引申出来的“必然”，而是基于对历史和现状的经济“实然”的探究所论证出来的“必然”。马克思和恩格斯不但做出了“两个必然”的结论，而且还鞭辟入里地论述了“两个必然”的根据何在。请看与这一结论连在一起的一段话：“资产阶级生存和统治的根本条件，是财富在私人手里的积累，是资本的形成和增殖；资本的条件是雇佣劳动。雇佣劳动完全是建立在工人的自相竞争之上的。资产阶级无意中造成而又无力抵抗的工业进步，使工人通过结社而达到的革命联合代替了他们由于竞争而造成的分散状态。于是，随着大工业的发展，资产阶级赖以生产和占有产品的基础本身也就从它的脚下被挖掉了。它首先生产的是它自身的掘墓人。”（第 43 页）

马克思和恩格斯的这段话阐述了“两个必然”的客观依据。这种客观依据存在于资本的本性之中。资本的本性就是增殖，即资本总是力图无限制地发展生产力和增加劳动剩余以使自身增殖。而资本增殖的过程实际上也就是剩余价值的不断生产和实现的过程。“劳动生产力的发展——首先是剩余劳动的创造——是资本的价值增加或资本的价值增殖的必要条件。因此，资本作为无限制地追求发财致富的欲望，力图无限制地提高劳动生产力并且使之成为现实。”[13] 正是在资本的增殖原则的驱使下，资产阶级对生产工具，从而对生产关系，从而对全部的社会关系不断进行革命，创造了巨大的生产力。但是，在私有制的条件下，资本的增殖又受到了严格的限制：

首先，资本作为生产出来的产品在不断地增加，但消费这些产品的能力十分不足，这就使资本的增殖受到了消费不足的限制。资本为了实现自己增殖的目的总是要残酷地剥削和压迫劳动者，而这种剥削和压迫是不可能得以遏制的。这样必然造成在少数人财富越积越多的同时，为数众多的人日益陷于贫困。“工人变成赤贫者，贫困比人口和财富增长得还要快。”（第 43 页）在这种情况下，生产能力与消费能力之间形成了巨大的反差。

其次，资本作为生产出来的产品在不断地增加，但是现有的等价物的量毕竟有限，这又使资本的增殖受到了货币量的限制。剩余价值的实现需要“剩余等价物”。问题在于，由于资本主义的生产是以追求剩余价值为宗旨，从而必然出现个别企业的有组织性和整个社会生产的弱组织性之间的对立，这样，就总体交换而言，就不可能具有使所有剩余价值得以实现的等价物，其结果就是使用价值的生产受制于交换价值。正如马克思所指出的：资本受到“货币量的限制”，“剩余等价物现在表现为［对于资本的］第二个限制”。[14]

资本的增殖所受到的这两大限制导致资本必然陷入危机之中。资本主义的发展总是伴随着以周期性的商业危机为主要内容的经济危机。马克思和恩格斯在《共产党宣言》中对这种危机进行了生动的描述：“在商业危机期间，总是不仅有很大一部分制成的产品被毁灭掉，而且有很大一部分已经造成的生产力被毁灭掉。在危机期间，发生一种在过去一切时代看来都好像是荒唐现象的社会瘟疫，即生产过剩的瘟疫。社会突然发现自己回到了一时的野蛮状态；仿佛是一次饥荒、一场普遍的毁灭性战争，使社会失去了全部生活资料；仿佛是工业和商业全被毁灭了。这是什么缘故呢？因为社会上文明过度，生活资料太多，工业和商业太发达。”（第 37 页）

由于资本增殖受到限制所导致的这种危机，实际上就是资本主义生产方式的危机。资本拥有者即资本家不理解也不愿意承认，无论是消费量的限制，还是货币量的限制，归根结底是资本主义生产关系对生产力无限发展趋势的限制。从某种意义上说，这就是资产阶级不愿正视也无法突破的“大限”。上文所说的“生产关系一定要适应生产力状况”的社会发展规律在这里实实在在地起着作用。在《共产党宣言》发表 40 年之后，恩格斯再次重申了《共产党宣言》所论述的这一基本思想：“生产过剩和大众的贫困，两者互为因果，这就是大工业所陷入的荒谬的矛盾，这个矛盾必然要求通过改变生产方式来使生产力摆脱桎梏。”[15]

资本主义的生产关系与生产力的矛盾在资本主义社会里就表现为无产阶级与资产阶级之间的斗争。历史惊人地相似。当年，在封建所有制变成束缚生产力的桎梏之时，资产阶级作为新的生产力的代表，“炸毁”了封建所有制，建立了资本主义所有制。如今，资本主义所有制又成了束缚生产力的桎梏，“资产阶级用来推翻封建制度的武器，现在却对准资产阶级自己了。”（第 37 页）这里所说的“武器”，是关于生产力和生产关系矛盾运动的规律。这一规律是不依人们意志为转移的。在新的历史条件下代表新的生产力的无产阶级必然会履行推翻资本主义所有制建立社会主义所有制的历史使命。“资产阶级不仅锻造了置自身于死地的武器；它还产生了将要运用这种武器的人——现代的工人，即无产者。”（第38页）无产阶级反对资产阶级的斗争不断地从自发走向自觉。随着资本主义经济危机的日益频繁和加深，随着无产阶级与资产阶级的矛盾日益尖锐和激烈，无产阶级在与资产阶级的斗争中作为代表历史的进步一方的优势充分显现，终将推翻资产阶级而建立自己的统治。“历史本身就是审判官，而无产阶级就是执刑者。”[16]“这个阶级的历史使命是推翻资本主义生产方式和最后消灭阶级。”[17]资本主义自身造就了这样一个“掘墓人”，它怎么不会必然灭亡呢？

第四，《共产党宣言》旗帜鲜明地指出：“共产主义革命就是同传统的所有制关系实行最彻底的决裂；毫不奇怪，它在自己的发展进程中要同传统的观念实行最彻底的决裂。”（第52页）从此无产阶级和广大劳动人民知道了社会主义社会、共产主义社会区别于此前一切剥削阶级社会的本质特征究竟是什么。

读过《共产党宣言》的人，都会对马克思和恩格斯所表述的两个“彻底决裂”的思想留下极其深刻的印象。这里所说的所谓“传统的所有制关系”自然是指私有制的生产关系，而所谓“传统观念”则是指以私有观念为核心的一切剥削阶级的意识形态。

两个“彻底决裂”的思想不仅是《共产党宣言》，而且是整个马克思主义的基本原理之一。它揭示了共产主义革命区别于此前一切革命的崇高使命，也阐述了社会主义社会、共产主义社会区别于此前一切剥削阶级社会的本质特征之所在。它深刻地体现了共产党人彻底的革命精神。放弃了两个“彻底决裂”的使命，也就等于放弃了共产主义的伟大理想。

苏联出版的纪念马克思诞辰 170 周年邮票。

实现两个“彻底决裂”需要一个历史过程。马克思这样说道：“在资本主义社会和共产主义社会之间，有一个从前者变为后者的革命转变时期”，“这个时期的国家只能是无产阶级的革命专政”。[18]“这种专政是达到消灭一切阶级差别，达到消灭这些差别所由产生的一切生产关系，达到消灭和这些生产关系相适应的一切社会关系，达到改变由这些社会关系产生出来的一切观念的必然的过渡阶段。”[19]马克思在这里所说的“四个达到”是与两个“彻底决裂”相一致的。可见，马克思把实现两个“彻底决裂”视为是贯穿于从资本主义到共产主义的整个过渡时期的历史使命。

与“传统的所有制关系”“彻底决裂”是社会主义社会、共产主义社会的经济特征。其宗旨就是消灭私有制。实际上，在马克思和恩格斯之前的空想社会主义者就已提出过私有制是资本主义社会一切弊病的根源，并在此基础上开始涉及消灭私有制的问题。马克思和恩格斯在《共产党宣言》中运用历史唯物主义的观点和方法，不但阐述了私有制是如何产生和发展的，而且揭示了私有制的社会本质。这样，马克思和恩格斯就解决了空想社会主义者虽然业已提出但却不能解决的任务。在他们看来，消灭私有制是共产主义革命的客观要求。共产主义革命不是用一种剥削制度去代替另一种剥削制度，而是要从根本上消灭人剥削人的制度，建立一个没有阶级剥削和阶级压迫的社会。共产主义革命的这种性质就决定了要求彻底铲除阶级剥削和阶级压迫的经济基础——私有制。只有废除生产资料的私有制，代之以生产资料公有制，才能挖掉剥削制度存在的根子。

对于共产主义革命究竟要废除什么样的生产资料所有制，马克思和恩格斯特地申明："共产主义的特征并不是要废除一般的所有制，而是要废除资产阶级的所有制。"（第 45 页）他们强调，废除先前存在的所有制关系，并不是共产主义所独具的特征。一切所有制关系都经历了经常的历史更替。例如，法国资产阶级革命废除了封建的所有制，代之以资产阶级的所有制。共产主义革命所要"革"的是资本主义私有制的"命"。"现代的资产阶级私有制是建立在阶级对立上面、建立在一些人对另一些人的剥削上面的产品生产和占有的最后而又最完备的表现。"（第 45 页）共产主义革命所针对的正是这样一种私有制。于是，他们就写下了这样一句至理名言："从这个意义上说，共产党人可以把自己的理论概括为一句话：消灭私有制。"（第 45 页）

共产主义革命要消灭私有制，有人就出来责备共产党人，说共产党人“要消灭个人挣得的、自己劳动得来的财产，要消灭构成个人的一切自由、活动和独立的基础的财产”。马克思和恩格斯严厉驳斥了这一责备。他们指出，在资本主义社会里，难道雇佣劳动、无产者的劳动，会给无产者创造出财产来吗？没有的事。“这种劳动所创造的是资本，即剥削雇佣劳动的财产，只有在不断产生出新的雇佣劳动来重新加以剥削的条件下才能增殖的财产”。（第45—46页）正因为无产者不可能通过劳动为自己创造出财产，所以就无从谈起要消灭“个人挣得的、自己劳动得来的财产”，实际上真正要消灭的是由“劳动所创造的”“资本”，是“剥削雇佣劳动的财产”，即由雇佣劳动者创造而被资本家所占有的财产！他们强调，雇佣工人靠自己的劳动所占有的东西，只够勉强维持他的生命的再生产，对于“这种供直接生命再生产用的劳动产品的个人占有”，共产主义革命“决不打算消灭”。他们严正地对来自资产阶级的责备者说道：“总而言之，你们责备我们，是说我们要消灭你们的那种所有制。的确，我们是要这样做的。”（第47页）

还有人这样指责消灭私有制：私有制一消灭，一切活动就会停止，懒惰之风就会兴起。在马克思和恩格斯看来，这不值一驳。他们这样回击道：“这样说来，资产阶级社会早就应该因懒惰而灭亡了，因为在这个社会里劳者不获，获者不劳。所有这些顾虑，都可以归结为这样一个同义反复：一旦没有资本，也就不再有雇佣劳动了。”（第48页）

社会主义社会、共产主义社会思想上的特征就是同“传统观念”

的“彻底决裂”。在马克思和恩格斯看来，共产主义革命必须与“传统观念”“彻底决裂”这是顺理成章的。他们深刻地指出：“任何一个时代的统治思想始终都不过是统治阶级的思想。”（第 51 页）资本主义社会的统治阶级是资产阶级，这一社会统治思想自然是资产阶级的思想，而社会主义社会由无产阶级主导，这一社会的统治思想也就是无产阶级的思想。在社会主义社会里，“灭”资产阶级思想“兴”无产阶级思想，这是由这一社会的性质和制度所决定的。他们还这样说道：“人们的观念、观点和概念，一句话，人们的意识，随着人们的生活条件、人们的社会关系、人们的社会存在的改变而改变，这难道需要经过深思才能了解吗？”（第 50—51 页）实际上，马克思和恩格斯早在创立唯物主义历史观时，就已深刻地阐明了思想究竟是如何产生的及其社会阶级属性，阐述了“统治阶级的思想”何以在每一时代“都是占统治地位的思想”。例如，他们在《德意志意识形态》中就这样指出：“一个阶级是社会上占统治地位的物质力量，同时也是社会上占统治地位的精神力量。支配着物质生产资料的阶级，同时也支配着精神生产资料，因此，那些没有精神生产资料的人的思想，一般地是隶属于这个阶级的。占统治地位的思想不过是占统治地位的物质关系在观念上的表现，不过是以思想的形式表现出来的占统治地位的物质关系；因而，这就是那些使某一个阶级成为统治阶级的关系在观念上的表现，因而这也就是这个阶级的统治的思想。”[20]

那么，共产主义革命要同“传统观念”“彻底决裂”，是不是不仅要同“在历史进程中不断改变的”宗教的、道德的、哲学的、政治的、法的观念“彻底决裂”，而且还要同“在这种变化中始终保存着的”宗教、道德、哲学、政治和法本身“彻底决裂”，甚至还要同“存在于一切社会状态所共有的永恒真理”，如自由、正义等“彻底决裂”？马克思和恩格斯指出，至今一切社会的历史都是在阶级对立中运动的，而这种对立在不同的时代具有不同的形式。但是，不管阶级对立具有什么样的形式，社会上一部分人对另一部分人的剥削却是过去各个世纪所共有的事实。因此，毫不奇怪，各个世纪的社会意识，尽管形形色色、千差万别，总是在某些共同形式中运动的。如果所谓的“永恒真理”就是指这些“共同形式”的话，那么共产主义革命最终也是要与之“决裂”的，只是必须明白：“这些意识形式，只有当阶级对立完全消失的时候才会完全消失。”（第 52 页）

但丁（1265—1321），意大利诗人。

第五，《共产党宣言》提出了这样一个富有结论性的命题：“代替那存在着阶级和阶级对立的资产阶级旧社会的，将是这样一个联合体，在那里，每个人的自由发展是一切人的自由发展的条件。”（第 53 页）从此无产阶级和广大劳动人民知道了人究竟应当发展成什么样子、真正的理想社会又是怎样的。

1894年1月，亦即在恩格斯逝世前两年，《新纪元》周刊约请恩格斯为该杂志题词。他们希望恩格斯用最简短的字句来表述未来社会主义新纪元的基本思想，以区别于诗人但丁曾描述的“一些人统治，另一些人受苦难”的旧纪元。恩格斯回复说：要用几句话来概括未来社会主义新时代的精神，几乎是不可能的。经过考虑，我认为，除了《共产党宣言》中的“代替那存在着阶级和阶级对立的资产阶级旧社会的，将是这样一个联合体，在那里，每个人的自由发展是一切人的自由发展的条件”这句话之外，“我再也找不出合适的了”。[21]这说明，恩格斯在经过差不多半个世纪以后，仍然把他与马克思在《共产党宣言》所说的“自由人的联合体”、“每个人的自由发展是一切人的自由发展的条件”视为人类新纪元的社会主义的主要特征和人类所追求的主要目标。

实际上，早在写作《共产党宣言》之前，马克思和恩格斯就已把未来社会描述为“自由人的联合体”，强调在未来社会里每个人都能得到“自由、全面的发展”。在编辑《莱茵报》时期，马克思就提出理想的国家应该是“相互教育的自由人联合体”。在这一“联合体”中，“个人以整体的生活为乐事，整体则以个人的信念为乐事”，是充满人与人、人与社会和谐快乐的状态。[22]马克思和恩格斯在《德意志意识形态》中，用形象的语言生动地向人们展示了“每个人的自由发展”的情景：“……在共产主义社会里，任何人都没有特殊的活动范围，而是都可以在任何部门内发展，社会调节着整个生产，因而使我有可能随自己的兴趣今天干这事，明天干那事，上午打猎，下午捕鱼，傍晚从事畜牧，晚饭后从事批判，这样就不会使我老是一个猎人、渔夫、牧人或者批判者。”[23]恩格斯于1845年2月15日的《在爱北斐特的演说》中，提出共产主义革命的最终目标就是实现人的解放，而对于什么是人的解放，他这样解释道：“……我们谈的是为所有的人创造生活条件，以便每个人都能自由地发展他的人的本性”。[24]而在《共产主义信条草案》中，恩格斯在回答什么是共产主义目的时，则进一步说道：“把社会组织成这样：使社会的每一个成员都能完全自由地发展和发挥他的全部才能和力量，并且不会因此而危及这个社会的基本条件。”[25]可见，《共产党宣言》中关于“自由人的联合体”、“每个人的自由发展”命题，是马克思和恩格斯经过长期探讨和酝酿后的水到渠成之作。

当然，自《共产党宣言》发表以后，他们也一直在继续对这一问题的探讨，一直坚持着《共产党宣言》中的这一基本思想。例如，马克思在《资本论》中就明确地指出，共产主义社会是比资本主义“更高级的、以每一个个人的全面而自由的发展为基本原则的社会形式”。[26]恩格斯更是在《反杜林论》中对此做出了系统的研究，他指出，借助巨大的生产力，人类社会将进入这样一种状态：“在这里不再有任何阶级差别，不再有任何对个人生活资料的忧虑，并且第一次能够谈到真正的人的自由，谈到那种同已被认识的自然规律和谐一致的生活。”[27]在《社会主义从空想到科学的发展》一书的结尾处，恩格斯则直截了当地提出，到了共产主义社会，“人终于成为自己的社会结合的主人，从而也就成为自然界的主人，成为自身的主人——自由的人。”[28]恩格斯在这里把“自由的人”理解为是成为三个方面的“主人”，即“自己的社会结合的主人”、“自然界的主人”、“自身的主人”。

马克思和恩格斯在这里讲了“每个人的自由发展”与“一切人的自由发展”之间的关系，他们特别强调前者是后者的条件与前提。“每个人”与“一切人”是两个不同的概念，“每个人”指是的“个体”，而“一切人”指的是“整体”。在他们之前，许多思想家总是打着代表“全人类”、“一切人”的旗号，以维护“整体”的名义，宣扬“一切人的发展是个人发展的条件”。马克思和恩格斯则和这些人相反，认为每个人的自由发展才是一切人自由发展的条件，没有每个人自由发展这一前提，就不可能实现一切人的自由发展。一切人的自由发展只是个“结果”，它建立在每个人的自由发展这一“原因”的基础之上。马克思和恩格斯在这里实际上讲的是“个体”与“社会”之间的关系，恩格斯在《反杜林论》中用明确的语言指出：“不言而喻，要不是每一个人都得到解放，社会也不能得到解放。”[29]

特别需要指出的是，马克思和恩格斯在这里所说的每个人的自由发展是有客观的历史条件的，千万不要忘记他们表述这一命题的前半段话，即“代替那存在着阶级和阶级对立的资产阶级旧社会的，将是这样一个联合体”。这说明，在他们看来，只有当阶级与阶级对立消失的时候，才能真正实现每个人的自由发展；只要阶级和阶级对立还存在着，只要这个社会还是属于资产阶级社会，那么就不可能建立“自由人的联合体”。那么什么叫做“阶级和阶级对立的消失”呢？请看马克思和恩格斯在表述这一命题的那段话的前面一部分论述：“当阶级差别在发展进程中已经消失而全部生产集中在联合起来的个人的手里的时候，公共权力就失去政治性质。原来意义上的政治权力，是一个阶级用以压迫另一个阶级的有组织的暴力。如果说无产阶级在反对资产阶级的斗争中一定要联合为阶级，通过革命使自己成为统治阶级，并以统治阶级的资格用暴力消灭旧的生产关系，那么它在消灭这种生产关系的同时，也就消灭了阶级对立的存在条件，消灭了阶级本身的存在条件，从而消灭了它自己这个阶级的统治。”（第 53 页）从这段话里可以知道，马克思和恩格斯是把消灭资本主义生产关系、“全部生产集中在联合起来的个人的手里”、“公共权力失去政治性质”作为阶级和阶级对立消失的前提，也是作为实现每个人的自由发展、建立“自由人的联合体”的前提。马克思曾经在《1857—1858 年经济学手稿》中，把人类发展的第三种形态即共产主义形态描述为“建立在个人全面发展和他们共同的、社会的生产能力成为从属于他们的社会财富这一基础上的自由个性”[30]，马克思在这里把“自由个性”，完全实现的共产主义社会与社会成员“共同的、社会的生产能力成为从属于他们的社会财富”联系在一起。马克思在 1872 年给《祖国纪事》杂志编辑部的信中提出，“一切民族，不管它们所处的历史环境如何”，都注定要走无产阶级革命的道路，“以便最后都达到在保证劳动生产力极高度发展的同时又保证每个生产者个人最全面的发展的这样一种经济形态”[31]，马克思在这里则认为要确保个人的全面和自由

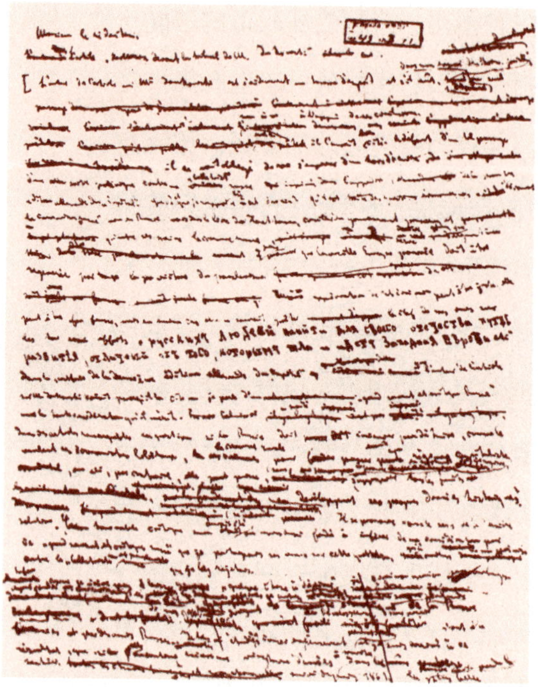

马克思给俄国《祖国纪事》杂志编辑部的信的一页。

的发展必须同时确保劳动生产力的高度发展。由此可见，实现个人的自由发展，建立“自由人的联合体”，按照马克思和恩格斯的看法，是人类社会发展的客观趋势，也是人类自身发展的客观要求，但它的实现是一个逐步推进的历史过程。只有私有制和旧式分工彻底消亡了，社会生产力高度发展了，阶级和阶级对立完全不存在了，它才能完全实现。在此之前，只能一步一步趋向这一目标。

第六，《共产党宣言》特别强调了这样一个原则：“共产党人不是同其他工人政党相对立的特殊政党。他们没有任何同整个无产阶级的利益不同的利益”。从此无产阶级和广大劳动人民知道了应当如何建设自己的政党，作为自己的先锋队的无产阶级政党应该是一个什么样的组织。

马克思和恩格斯在《共产党宣言》中认定：“在当前同资产阶级对立的一切阶级中，只有无产阶级是真正革命的阶级。”（第 41 页）原因就在于无产阶级是现代大工业的产物，代表着先进的生产力和社会的未来。“在一切生产工具中，最强大的一种生产力是革命阶级本身。”[32] 无产阶级代表了最先进的生产力，从而自身也成了一种“最强大的生产力”。无产阶级是“资产阶级国家的奴隶”，身处“社会的最下层”，对于它来说，没有什么必须保留的东西，只有摧毁保护私有财产的一切，并实现全社会所有，才能翻身解放。相比较而言，“中间等级，即小工业家、小商人、手工业者、农民，他们同资产阶级作斗争，都是为了维护他们这种中间等级的生存，以免于灭亡”，“所以，他们不是革命的，而是保守的”。“如果说他们是革命的，那是鉴于他们行将转入无产阶级的队伍，这样，他们就不是维护他们目前的利益，而是维护他们将来的利益，他们就离开自己原来的立场，而站到无产阶级的立场上来。”（第42页）至于那些流氓无产者，他们是属于“社会最下层中消极的腐化的部分”，尽管他们“在一些地方也被无产阶级革命卷到运动里来”，但是“他们更甘心于被人收买，去干反动的勾当”。（第42页）马克思和恩格斯在这里强调的是，无论是“中间等级”还是“流氓无产者”，他们都同工业无产阶级迥然有别。那些空想社会主义者把无产阶级描述为消极的破坏力量或受苦受难的可怜群体，关键就在于看不到上述的区别，不能把握无产阶级的革命本质。

马克思和恩格斯在论述无产阶级的革命本质时，特别强调无产阶级与人民群众的密切联系。他们这样说道：“无产者只有废除自己的现存的占有方式，从而废除全部现存的占有方式，才能取得社会生产力。”“无产阶级，现今社会的最下层，如果不炸毁构成官方社会的整个上层，就不能抬起头来，挺起胸来。”（第 42 页）马克思和恩格斯在这里讲得十分清楚，无产阶级只有解放全人类才能解放自己。正因为如此，无产阶级的革命运动所谋的不仅是本阶级的利益，而且代表着最广大的人民群众的利益。也正因为如此，无产阶级的革命运动不仅能动员本阶级的成员加入而且可以吸引最广大的人民群众的参与。马克思和恩格斯这样说道：“过去的一切运动都是少数人的，或者为少数人谋利益的运动。无产阶级的运动是绝大多数人的，为绝大多数人谋利益的独立的运动。”（第 42 页）

无产阶级是最革命的阶级，它赋有充当资本主义社会的“掘墓人”，推翻资本主义社会建设一个新社会的历史使命。那么，它究竟如何才能履行这一历史重任呢？马克思和恩格斯在《共产党宣言》中指出，无产阶级要实现伟大的历史使命，就必须建立无产阶级独立的革命政党，即共产党。马克思和恩格斯强调，作为无产阶级政党的共产党，是无产阶级革命事业的领导力量；共产党的正确领导，是实现无产阶级历史使命的根本保证。马克思和恩格斯这样说道：“无产者组织成为阶级，从而组织成为政党这件事，不断地由于工人的自相竞争而受到破坏。但是，这种组织总是重新产生，并且一次比一次更强大、更坚固、更有力。”（第 40—41 页）《共产党宣言》系统地论述了无产阶级政党的性质、特点、任务和策略。

《共产党宣言》的第二章一开头就提出了这么一个问题：“共产党人同全体无产者的关系是怎样的呢？”（第 44 页）马克思和恩格斯自己回答说，共产党人不是同其他工人政党相对立的特殊政党，他们没有任何同整个无产阶级的利益不同的利益。“他们不提出任何特殊的原则，用以塑造无产阶级的运动。”（第 44 页）这就是说，共产党的性质是完全代表无产阶级的利益，共产党的性质决定了共产党人的宗旨就是全心全意地为无产阶级谋利益。除了忠实地代表无产阶级的利益之外，共产党没有自身的什么“特殊的利益”。共产党倘若在无产阶级利益之外还有自身的什么“私利”，那么它的性质就改变了，就不是什么无产阶级政党了。因为无产阶级的利益又是同广大人民群众的利益高度一致的，从而代表无产阶级的利益就是代表广大人民群众的利益。

马克思和恩格斯认为，共产党“不提出任何特殊的原则”，但它与其他无产阶级政党相比确实也有着自己“不同的地方”，而正是这些“不同的地方”构成了共产党的建党准则。他们这样说道：“共产党人同其他无产阶级政党不同的地方只是：一方面，在无产者不同的民族的斗争中，共产党人强调和坚持整个无产阶级共同的不分民族的利益；另一方面，在无产阶级和资产阶级的斗争所经历的各个发展阶段上，共产党人始终代表整个运动的利益。”（第 44 页）这里主要提出了共产党人与其他无产阶级政党的两条“不同的地方”：其一是共产党人强调和坚持整个无产阶级不分民族的共同利益，而不是仅仅强调和坚持某一特定民族的无产阶级的利益；其二是共产党人始终代表无产阶级整个革命运动的利益，而不是仅代表无产阶级革命运动某一阶段、某一时期的利益。共产党人要维护和代表无产阶级的利益是肯定的，但无产阶级的利益有局部与整体、眼前与长远之分。把这两条结合在一起，马克思和恩格斯显然强调的是共产党人所维护和代表的应当是无产阶级的整体的和长远的利益，即应当是无产阶级的根本利益。

鉴于当时的其他的一些无产阶级政党和组织往往只注重无产阶级的眼前的利益，把无产阶级的革命运动与实现共产主义的远大理想分离开来，马克思和恩格斯尤其强调了共产党人与其他无产阶级政党后一条“不同的地方”。他们针锋相对地指出：“共产党人为工人阶级的最近的目的和利益而斗争，但是他们在当前的运动中同时代表运动的未来。”（第 65 页）在他们看来，共产党人是绝对不会放弃为工人阶级的最近的目的和利益而展开斗争，但与此同时，他们在带领工人阶级进行“当前的运动”的同时，也绝对不会放弃实现工人阶级的根本利益的最终目标。共产党人把“当前的运动”与“运动的未来”有机地结合在一起，把“当前的运动”视为整个运动的一个不可分割的组成部分。共产党人是不会让工人阶级只顾眼前的利益而丢掉长远的根本利益的。

马克思和恩格斯是这样从实践和理论两个方面总结共产党人的主要特征的：“在实践方面，共产党人是各国工人政党中最坚决的、始终起推动作用的部分”；“在理论方面，他们胜过其余无产阶级群众的地方在于他们了解无产阶级运动的条件、进程和一般结果”。（第 44 页）这就是说，共产党是这样这一个组织：它以最坚定不移、始终如一的实际行动投入无产阶级革命运动，它最透彻地了解无产阶级革命运动具有怎样的条件才能形成，其实际进程如何，最终它将产生什么样的成果。

共产党人之所以有这些其他无产阶级政党不可能具备的特征，在马克思和恩格斯看来，关键就在于共产党人有正确的理论指导。他们指出，“共产党人的理论原理，决不是以这个或那个世界改革家所发明或发现的思想、原则为根据的”，“这些原理不过是现存的阶级斗争、我们眼前的历史运动的真实关系的一般表述”。（第44—45页）这说的是，共产党人的理论原理决不是凭空设想出来的，而是对“现存的阶级斗争”、“眼前的历史运动的真实关系”的客观反映，它是科学真理。共产党人需要用这样的理论武装自己，而用这样的理论武装起来的共产党则是不可战胜的。一个掌握了科学真理的无产阶级政党在前面引路，在前面冲锋陷阵，是无产阶级反对资产阶级的斗争取得胜利的根本保证。

基于对共产党这一无产阶级政党的性质的深刻洞见和对其前途的无限信任，马克思和恩格斯以这样气吞山河的语言来结束《共产党宣言》的全文：“共产党人不屑于隐瞒自己的观点和意图。他们公开宣布：他们的目的只有用暴力推翻全部现存的社会制度才能达到。让统治阶级在共产主义革命面前发抖吧。无产者在这个革命中失去的只是锁链。他们获得的将是整个世界。”（第66页）

三

破解对《共产党宣言》的三大疑惑

1998年5月中旬，全世界的1500多位马克思主义的追随者和研究者云集法国巴黎，参加“纪念《共产党宣言》发表150周年国际大会”。大会组委会主席、法共政治局委员、前马克思主义研究所所长弗·拉扎尔夫人在致开幕词时动情地说道：“《共产党宣言》不是一般的书。它不是冰，而是炭，放在锅里能使水沸腾起来。我们为什么不使历史重新沸腾起来呢?”拉扎尔夫人的意思是，《共产党宣言》在150年前曾经是使整个世界沸腾起来的“炭”，而170年后的今天，它仍然是能使世界重新沸腾起来的“炭”。《共产党宣言》至今仍闪耀着真理的光辉。

当然，认为当今世界仍然需要《共产党宣言》的即使在西方世界也绝不仅是拉扎尔夫人一人，英国著名历史学家霍布斯鲍姆在《共产党宣言》发表150周年之际也专门撰文指出：“《共产党宣言》是一部自法国大革命中《人权宣言》诞生以来，迄今影响最大的单

人民的扫帚（漫画，象征着人民怒火的大扫帚正在把梯也尔、维努亚、法夫尔、特罗胥等人赶出巴黎）德·弗伦达作。

篇政治文献”，并一再提醒人们：“《共产党宣言》对于处于 21 世纪前夜的世界仍有许多发言权。”

发表于 170 年前的《共产党宣言》当今是否还有着现实意义，是不是如拉扎尔夫人所说的那样仍然是“碳”而不是“冰”，是不是如霍布斯鲍姆所说的那样对当今世界仍然有“发言权”，这是我们面对这一著作所要思索和回答的最重要的问题。

要对此做出富有说服力的回答，必须解开当今存在于一些人心中的对《共产党宣言》现实意义的三大疑惑。

第一个疑惑：马克思和恩格斯本人在《共产党宣言》发表以后，特别是在他们晚年是否已放弃了《共产党宣言》的基本原理？

马克思和恩格斯最初推出《共产党宣言》的时候，《共产党宣言》由一个简短的引言和4章组成。后来，《共产党宣言》不断再版，马克思和恩格斯没有对这一历史文件的正文作过任何修改。但是，在1872年至1893年这20多年的时间里，他们为不同的版本写了7篇序言。前两篇序言由马克思和恩格斯合写，从第3篇序言开始，由于马克思“已经长眠于海格特公墓，他的墓上已经初次长出了青草”（第9页），只能由恩格斯一人撰写。在每一篇序言中，马克思和恩格斯都结合当时社会经济、革命斗争形势和政治状况等方面的新变化，对原来的思想做出新的补充和新的说明。马克思和恩格斯实际上是通过写序言的形式来坚持和发展《共产党宣言》的思想。但是有一些人，就以这7篇序言为依据，来论证马克思特别是恩格斯作为《共产党宣言》的作者本人实际上在世时就已放弃了《共产党宣言》的基本理论。而实际上，他们的这一论证是根本站不住脚的。

只要我们仔细阅读一下《共产党宣言》的这7篇序言就不难发现，马克思和恩格斯在这里究竟对《共产党宣言》所做出的修正和说明是一些什么样的修正和说明：

其一，他们对《共产党宣言》中的有些观点进行了修改。例如，马克思和恩格斯在《共产党宣言》中论述无产阶级革命时曾经这样说道："共产党人的最近目的是……使无产阶级形成为阶级，推翻资产阶级的统治，由无产阶级夺取政权。"（第 44 页）"工人革命的第一步就是使无产阶级上升为统治阶级，争得民主。"（第 52 页）马克思和恩格斯在这里尽管没有直接提出"无产阶级专政"这一词，但显然已有了关于无产阶级专政的思想。问题在于，因为他们当时并没有这方面的具体实践，从而他们当时不可能具体说明无产阶级究竟如何对待旧的国家机器。1871 年的巴黎公社则提供了新的关于无产阶级专政的实践经验。马克思在《法兰西内战》一书中总结了这一经验，明确提出："工人阶级不能简单地掌握现成的国家机器，并运用它来达到自己的目的。"[33] 马克思和恩格斯认为巴黎公社这一经验十分重要，所以他们在 1872 年的德文版序言中特地指出要用"无产阶级第一次掌握政权达两月之久的巴黎公社"的这一"实际经验"来修正《共产党宣言》中这一"已经过时"的观点。（第 6 页）后来列宁对马克思和恩格斯所作的这一修改非常重视，认为这是对《共产党宣言》的"一个极其重要的修改"。[34]

其二，他们要求在实际运用《共产党宣言》的原理时，"随时随地都要以当时的历史条件为转移"（第 5 页），并明确指出其中的个别观点已经"不适合"和"过时"。他们在《共产党宣言》第 2 章的结尾处，提出过共产主义革命必须采取的 10 条措施，他们在 1872 年的德文版序言中指出那些革命措施"根本没有特别的意义"。（第 5 页）他们在《共产党宣言》中对一些社会主义文献提出了批

《法兰西内战》初稿手稿。

判，而在这同一序言中他们坦率地承认对这些社会主义文献所作的批判“在今天看来是不完全的，因为这一批判只包括到 1847 年为止”。（第 6 页）在《共产党宣言》的第 4 章他们曾经论述了共产党人对待各种反对派的态度，也在这同一序言中，他们特别指出这一论述“虽然在原则上今天还是正确的，但是就其实际运用来说今天毕竟已经过时”。（第 6 页）

其三，他们对在《共产党宣言》中个别表述不够确切的地方加以完善。《共产党宣言》的第一句话是：至今一切社会的历史都是阶级斗争的历史。这一表述显然是不确切的。恩格斯在1883年德文版序言中转引这句话时于这句话的前面加上了一个括弧，在括弧中他写道："从原始土地公有制解体以来"。（第9页）在随后的1888年英文版的正文中，恩格斯特地在"至今一切社会的历史"后面加上了这样一个脚注："这是指有文字记载的全部历史。"（第31页）经这样一补充，原文中的这句话就变得更加准确、严密，更加符合社会历史发展的客观现实。

其四，他们把依据各国无产阶级革命斗争的实践而获得的新的理论成果补充进《共产党宣言》之中。《共产党宣言》发表以后，马克思和恩格斯一直非常关心俄国的革命运动。在1882年俄文版序言中，他们在阐述俄国应如何根据《共产党宣言》的基本原理来解决所面临的历史任务之时，提出了应当怎样看待俄国农村公社的问题。他们这样询问道："俄国公社，这一固然已经大遭破坏的原始土地公共占有形式，是能够直接过渡到高级的共产主义的公共占有形式呢？或者相反，它还必须先经历西方的历史发展所经历的那个瓦解过程呢？"（第8页）他们所做出的回答是："对于这个问题，目前唯一可能的答复是：假如俄国革命将成为西方无产阶级革命的信号而双方互相补充的话，那么现今的俄国土地公有制便能成为共产主义发展的起点。"（第8页）马克思和恩格斯在这里所补充进《共产党宣言》中的这一论断后来被十月革命所完全证实。恩格斯在 1892 年的波兰文版序言中论述了伴随资本主义发展起来的波兰无产阶级与民族运动的关系。他指出："波兰贵族既没有能够保持住波兰独立，也没有能够重新争得波兰独立……这种独立只有年轻的波兰无产阶级才能争得，而且在波兰无产阶级手里会很好地保持住。"（第 24 页）恩格斯不仅把波兰的民族独立寄希望于波兰的无产阶级，而且还向国际无产阶级发出号召：波兰的这种独立"是实现欧洲民族和谐的合作所必需的"，"欧洲所有其余各国工人都像波兰工人本身一样需要波兰的独立"。（第 24 页）恩格斯在这里所阐述的波兰无产阶级对于民族独立的历史作用，以及波兰独立对于世界和谐的意义的观点，后来历史进程证明是完全正确的。

从上面所分析的马克思和恩格斯在 7 篇序言中对《共产党宣言》的内容所做的修改、说明和补充中，我们可以充分看出无产阶级革命导师的那种严肃的科学态度和可贵的理论创新精神。马克思和恩格斯从来不把自己的理论词句当成一成不变的绝对真理；相反，他们强调自己的理论是"发展着的真理，而不是必须背得烂熟并机械地加以重复的教条"。[35]《共产党宣言》的 7 篇序言反映出，马克思和恩格斯本人正是这样要求自己也是这样对待自己的理论的。

问题在于，马克思和恩格斯在这 7 篇序言中对《共产党宣言》的内容做出这样的修改、说明和补充，是不是意味着他们已从根本上放弃了《共产党宣言》的基本原理？我们高度赞赏马克思和恩格斯对《共产党宣言》的内容做出这样的修改、说明和补充，是不是表明我们确认他们已放弃了《共产党宣言》的基本原理？完全不是如此。他们是在坚持《共产党宣言》基本原理的前提下，结合时代的变迁和工人运动的实际发展情况，而做出这样的修改、说明和补充的。在一定意义上，他们是为了更好地坚持《共产党宣言》的基本原理才这样做的。

我们还是按照序言的时间顺序，看一看马克思和恩格斯在这7篇序言中对《共产党宣言》的内容做出这样的修改、说明和补充的同时，怎样反复申明《共产党宣言》的基本原理是正确的，以及又是怎样肯定《共产党宣言》的历史作用的：

在1872年德文版序言中，马克思和恩格斯在指出《共产党宣言》的有些内容已过时需要修正的同时，强调说："不管最近25年来的情况发生了多大的变化，这个《宣言》中所阐述的一般原理整个来说直到现在还是完全正确的。"（第5页）

在1882年俄文版序言中，马克思和恩格斯提出，《共产党宣言》的任务"是宣告现代资产阶级所有制必然灭亡"。（第8页）也就是说，他们把消灭资产阶级所有制作为《共产党宣言》的不可能过时的最重要的原理。他们还说当《共产党宣言》在19世纪60年代初俄文第一版问世时，西方认为这件事"不过是著作界的一件奇闻"，而"这种看法今天是不可能有了"。（第7页）

在1883年德文版序言中，恩格斯说："本版序言不幸只能由我一个人署名了。"他认为"谈不上对《宣言》作什么修改或补充了"（第9页），但有必要再次明确《共产党宣言》的基本思想。于是，他概括了"贯穿《宣言》的基本思想"。这就是："每一历史时代的经济生产以及必然由此产生的社会结构，是该时代政治的和精神的历史的基础；因此（从原始土地公有制解体以来）全部历史都是阶级斗争的历史，即社会发展各个阶段上被剥削阶级和剥削阶级之间、被统治阶级和统治阶级之间斗争的历史；而这个斗争现在已经达到这样一个阶段，即被剥削被压迫的阶级（无产阶级），如果不同时使整个社会永远摆脱剥削、压迫和阶级斗争，就不再能使自己从剥削它压迫它的那个阶级（资产阶级）下解放出来。”（第 9 页）这一段话是对《共产党宣言》思想的最确切、最精练的概括，揭示了《共产党宣言》基本原理之间的内在联系。恩格斯不仅认为“这个基本思想”“完全是属于马克思一个人的”（第 9 页），而且实际上还向人们表明，贡献给无产阶级和全人类的“这个思想”是不朽的。

在 1888 年英文版序言中，恩格斯明确地把《共产党宣言》视为全世界无产阶级的“共同纲领”。他这样说道：“《宣言》的历史在很大程度上反映着现代工人阶级运动的历史；现在，它无疑是全部社会主义文献中传播最广和最具有国际性的著作，是从西伯利亚到加利福尼亚的千百万工人公认的共同纲领。”（第 13 页）恩格斯为了强调《共产党宣言》的基本原理的正确性，在这里转引了他在前一个序言中所概括的“贯穿《宣言》的基本思想”，并特地指出：“在我看来这一思想对历史学必定会起到像达尔文学说对生物学所起的那样的作用。”（第 14 页）恩格斯在这里又说明了为什么把这一《宣言》称为《共产党宣言》而不叫《社会主义宣言》的缘由。在他看来，主要原因就在于，当时，“社会主义是资产阶级的运动，而共产主义则是工人阶级的运动”。他还特地补充说：“后来我们也从没有想到要把这个名称抛弃。”（第 14 页）恩格斯说“从没有想到”要抛弃共产主义这个名称，是他与马克思从来也没有放弃《共产党宣言》的基本原理的最好佐证。

在 1890 年德文版序言中，恩格斯全部转述了他与马克思最后共同署名的那个序言，即 1882 年俄文版序言的全部内容。恩格斯之所以这样做，一个重要原因实际上是要再次肯定“宣告现代资产阶级所有制必然灭亡”这一 1882 年俄文版序言中曾经强调过的《共产党宣言》的基本原理。

在 1892 年波兰文版序言中，恩格斯非常高兴地叙述说，“首先值得注意的是，近来《宣言》在某种程度上已经成为测量欧洲大陆大工业发展的一种尺度”，“根据《宣言》用某国文字发行的份数，不仅可以相当准确地判断该国工人运动的状况，而且可以相当准确地判断该国大工业发展的程度。”（第 23 页）关键在于，他还论述了《共产党宣言》之所以具有这样效用的原因：“某一国家的大工业越发展，该国工人想要弄清他们作为工人阶级在有产阶级面前所处地位的愿望也就越强烈，工人中间的社会主义运动也就越扩大，对《宣言》的需求也就越增长。”（第 23 页）恩格斯讲得十分清楚，《共产党宣言》的功能就在于能满足无产阶级了解自己的真实处境和历史使命的欲望。工业越是发展，无产阶级的这种愿望就越是强烈，从而对《共产党宣言》的需求也就越大。

在 1893 年意大利文版序言中，恩格斯根据 1848 年革命，以及 1848 年革命以来的无产阶级革命斗争的实践，高度肯定了《共产党宣言》中所做出的无产阶级是资本主义社会的“掘墓人”的判断。他这样说道：“最近 45 年来，资产阶级制度在各国引起了大工业的飞速发展，同时造成了人数众多的、紧密团结的、强大的无产阶级；这样它就产生了——正如《宣言》所说——它自身的掘墓人。”（第 26 页）他还预言，《共产党宣言》意大利文版的出版能成为“良好的预兆”，意大利因而“会给我们一个新的但丁来宣告这个无产阶级新纪元的诞生”。没有对《共产党宣言》所提出的基本原理的坚定信念，就不可能如此乐观地展望意大利，乃至整个欧洲和整个世界无产阶级革命斗争的前景！

我们在这里确实看不出马克思和恩格斯放弃《共产党宣言》的基本原理的丝毫痕迹。认为马克思和恩格斯在晚年放弃了《共产党宣言》的基本原理的说法是无稽之谈。

第二个疑惑：《共产党宣言》从问世至今已有 170 年了，可资本主义的“丧钟”并未敲响，这岂不是意味着《共产党宣言》的基本原理业已“过时”？

马克思和恩格斯在《共产党宣言》中给资本主义社会下了死亡判决书。《共产党宣言》的基本原理都是与论述资本主义为什么会死亡以及它如何走向死亡相关的。他们甚至曾经预言资本主义在 19 世纪就要灭亡。摆在我们面前的事实是，世界资本主义进入 21 世纪还灭亡不了。如果仅仅从表面上看问题，确实有理由借助于资本主义并没有灭亡，资本主义出现了种种新的变化，来论证《共产党宣言》业已“过时”。

全部的关键在于，《共产党宣言》问世以来的资本主义所发生的这些新变化究竟是一些什么样的变化，这些新变化是否就表明《共产党宣言》业已“过时”？对此，我们做出四点分析：

其一，资本主义社会的许多新变化在一定程度上是由于资产阶级“执行”了《共产党宣言》的理论才导致的，所以这些新变化非但没有推倒，反而证明了《共产党宣言》的基本原理的正确性。

实际上，马克思和恩格斯早在生前，就已看到了资本主义的一些变化，并且也已发现这些变化甚至是资产阶级作为“革命遗嘱”的“执行人”而带来的。恩格斯在《共产党宣言》的1892年的波兰文版序言中指出：“1848年革命在无产阶级的旗帜下使无产阶级战士归根到底只做了资产阶级的工作，这次革命也通过自己的遗嘱执行人路易·波拿巴和俾斯麦实现了意大利、德国和匈牙利的独立。”（第24页）实现民族独立是1848年革命的目标，也是一种不可阻挡的历史趋势，但在这场革命中，无产阶级由于自身力量太弱而未能以它为主体来实现民族独立，而真正实现这一目标的是资产阶级。恩格斯认为资产阶级是作为“革命遗嘱”的“执行人”不得不实现民族独立。恩格斯在1893年的意大利文版序言中，则用更明确的语言表达了这一思想：“那些镇压1848年革命的人违反自己的意志充当了这次革命的遗嘱执行人。”（第25页）恩格斯在这句话之前，特地说明：“正如马克思所说”。（第25页）确实，把资产阶级视为“革命的遗嘱执行人”这不是恩格斯首次这样说的，马克思在以前的许多场合都这样说过，特别是在《1859年的爱尔福特精神》一文中做过详尽的说明。[36]后来的实践表明，资产阶级作为“革命的遗嘱执行人”所“执行”的内容超出了实现民族独立的范围。当年的铁血宰相俾斯麦用著名的“胡萝卜加大棒”的手段，不仅实现了德国的民族独立，而且在镇压革命人士的同时，又开始实行社会保障制度。到20世纪30年代美国民主党总统罗斯福新政时期所公布的一系列的社会保险法，在一定程度上也可视为对《共产党宣言》中的一些观点的“执行”。第二次世界大战以后，福利制度逐步扩展到大多数发达资本主义国家，这也标志着发达资本主义社会的资产阶级统治者被迫顺应历史发展趋势，普遍扮演了一心加以扼制和镇压的《共产党宣言》中所阐述的社会主义的“遗嘱”的“执行人”。在无产阶级革命运动的压力下，他们被迫采取一方面应对社会主义另一方面又含有社会主义因素的福利制度。《共产党宣言》所昭示的一些社会主义和共产主义的理想竟然用这样一种方式，即竟然通过其“对立面”，通过“反面的偶然性”得到了某种程度的兑现。这只能证明《共产党宣言》的基本原理是正确地反映了历史发展的客观规律，它们在这一世界上展现和发生作用是不可阻挡的。[37]

其二，资本主义出现的一些新变化主要是物质方面的变化，并不属于全局性的、根本性的变化，而且这些变化主要是由科技革命带来的，而不是根源于资本主义制度。

现在一些人用以证明《共产党宣言》的基本原理已失效的所谓

资本主义的新变化，说来说去无非主要是物质财富的增加，而所谓国际资产阶级的胜利，也无非只是物质上的胜利。问题在于，这种物质财富的增加是不是由资本主义制度本身带来的？如果是资本主义制度带来的话，那么这确实可以用来证明《共产党宣言》的基本原理已“过时”和“失效”。但是，只要我们仔细地分析一下资本主义社会的物质财富增加的整个过程，马上就会发现，这与资本主义制度没有本质上的联系，而主要是由第二次世界大战后出现的新科技革命带来的。科学技术的革命性的发展，不仅使生产力获得了量的迅速增加，而且也改变了生产力的增长模式，科学技术直接物化为物质财富。生产力的发展从主要依靠劳动工具转变为主要依靠科学技术。在物质生产的各个领域都充分显示了科学技术的力量。发生于20世纪50—60年代的、以原子能和电子计算机的广泛发展与运用为标志的科技革命，曾经极大地促进了当代资本主义社会生产力的发展，而发生于20世纪80年代末90年代初的、以信息技术为中心的高科技产业的迅猛发展，更是使资本主义的生产力水平又上了一个新的台阶。随着整体经济实力的增

《共产党宣言》1948年日文版封面。

强，西方发达资本主义国家先后进入了以高消费为主要特征的所谓“富裕社会”。在当代资本主义社会中科学技术在发展生产力方面所起的巨大作用，再一次证明科学技术在本质上是“最高意义上的革命力量”。科学技术的发展展现出自身的革命力量表明它必然同资本主义制度是相冲突的。实际情况是，资本主义社会的统治者从总的来说是阻碍了而不是促进了科学技术的发展和发挥其进步的社会功能。倘若换一种社会制度，这两次科技革命完全有可能产生出更大的效用。我们没有理由把明明是科学技术所带来的物质财富的增加的“功劳”记在资本主义制度的账上。由此可见，即使是资本主义社会生产力发展、物质财富增加这一新变化，也不足以“支持”《共产党宣言》“过时”“失效”论。

其三，当今资本主义社会所出现的一些新变化，使《共产党宣言》所阐述的基本原理更具有了说服力，更具有了客观现实性。

在关注当代资本主义的新变化时，无论如何不能忽视那些静悄悄的但又十分重要的变化，正是这些变化有力地表明《共产党宣言》的核心思想实现的客观基础在日益增加。当代资本主义进入了知识经济时代，知识不可能是“私有化”的，即知识不可能被一些人所垄断和据为私有，知识原则上天生姓“公”。知识经济时代的到来，意味着人类社会走向以公有制为主导的社会的客观必然性。由于科学技术成了第一生产力，越来越多的人可以从直接生产劳动中解放出来，也就是说，人具有了更多的用于自身的时间。所谓“第三产业”的崛起，就是说明相当部分的生产劳动也围绕着人的发展而展开。在这种情况下，《共产党宣言》所说的人的“自由和全面的发展”更具有客观基础，也就是说，更难阻止人类朝向这一方向前进。在当今资本主义社会中，对“社群主义”不仅仅停留于学术上的探讨，而且日益成为人们的一种渴望。随着具有独立精神的“自由人”的大量涌现，人们越来越渴望把“自由人”有机地组合成一个“共同体”，这实际上是对《共产党宣言》所说的“自由人的联合体”的渴望。当今追求“自由人的联合体”的迫切性超过以往任何一个历史时期。有人看到了当今资本主义社会进入所谓“后物质社会”的趋向性。那种最大限度地满足自己的物质享受的价值目标遇到了空前的危机，这一价值目标导致了人与人以及人与自然之间的无休止的“战争”。许多人终于意识到必须改变一味追求物质利益的价值目标，重新安排人与人、人与自然之间的关系，增加文化、精神因素在目标体系中的分量。《共产党宣言》说得十分清楚，无限追求个人的物质利益正是资本主义的价值目标。改变这一价值目标就使资本主

《共产党宣言》1955 年意大利文版封面。

义丧失了安身立命的根据，而与此同时却夯实了社会主义的基础。人们正是从资本主义社会的这些新变化中更清晰地看到了《共产党宣言》所揭示的社会主义、共产主义理想的曙光。[38]

其四，资本主义社会发生各种各样的变化，都“万变不离其宗”，资本主义固有的矛盾始终没有变，资产阶级贪婪的本性也始终没有变，马克思和恩格斯在《共产党宣言》中基于得出基本结论的客观社会基础依然存在。

上面我们分析了资本主义社会所出现的一系列新变化，旨在说明即使是这些新变化也并没有“证伪”而是“证实”了《共产党宣言》的基本原理。但是，更能说明《共产党宣言》在当今时代没有过时也不会过时的，则是透过这些新变化展现在我们眼前的资本主义的那些“没有变”的东西，即资本主义固有的矛盾始终没有变，资产阶级贪婪的本性也始终没有变。美国学者 R. L. 海尔布隆纳在《马克思主义：赞成和反对》一书中说，“只要资本主义存在着”，“我就不相信我们能在任何时候宣布”马克思和恩格斯在《共产党宣言》中“关于资本主义内在本性的分析有任何错误”。正如海尔布隆纳所揭示的那样，纵观现代资本主义的大企业、大垄断集团、跨国公司，与马克思和恩格斯所处的时代相比，尽管其具有了更大的容纳力和自我调整力量，但资本主义生产方式固有的基本矛盾和阶级关系仍然存在。马克思曾经说过，从人类总体历史来看，“无论哪一个社会形态，在它所能容纳的全部生产力发挥出来以前，是决不会灭亡的；而新的更高的生产关系，在它的物质存在条件在旧社会的胎胞里成熟以前，是决不会出现的。”[39]这就是马克思著名的“两个决不会”的思想。一些人常常用“两个决不会”来否定马克思和恩格斯在《共产党宣言》中所提出的“两个必然”的思想。实际上，“两个决不会”与“两个必然”具有内在的统一性。今天“决不会”并不表示永远“决不会”。资本主义没有发展到极限，并不等于没有极限。关键在于，资本主义无论采取什么样的垄断方式，都不可能改变资本对剩余价值的贪婪，都不可能消除生产资料资本家私人占有制及其对生产力发展的限制。[40]只要还是那个资本主义，就必然是以“资本”为中心的，就必然承受着隐含在“资本”中的各种矛盾，就必然面临着“资本”所带来的“限制”。正如马克思所说，“资本主义生产的真正限制是资本本身”。[41]资本主义的本性不可能改变这一点，就决定了金玉其外的资本主义，灯油已快熬干，熄灭是迟早的事。马克思和恩格斯在《共产党宣言》中给它所下达的“死亡判决书”，延期执行了，但依然有效。

如果说在美国金融危机爆发之前，人们对马克思和恩格斯当年所揭示的资本主义固有的矛盾依然存在这一点还有什么疑虑的话，那么在这场危机爆发以后，对大多数人来说，这些矛盾则以更为清晰的形式展现在面前。美国的金融危机，以及随后发生的欧洲债务危机，并不是像有些人轻描淡写地所说的是“金融市场上投机活动的失控”或“借贷过度”。确实，如果仅仅局限于从金融和金融危机现象本身来看待这场危机，不联系资本主义私有制条件下商品交换的二重性内在矛盾，不联系金融资本逐利本性，不联系资本主义

《共产党宣言》1968年英文版封面。

制度本身，就难以回答像美国“完美”的市场制度为什么没有能防止金融危机的爆发，难以看清危机的实质和深层原因，难以认清正是资本主义制度才是造成危机的根本原因。[42]这次危机发生以后，西方资本主义国家试图用注入货币、大范围减税等办法走出危机。但是，这实际上是徒然的。马克思在当年曾经指出过：“当然不会因为有一家像英格兰银行这样的银行，用它的纸券，给一切投机者以他们所缺少的资本，并把全部已经跌价的商品按原来的名义价值购买进来，就可以医治好。”[43]当今的美联储处于与当年的英格兰银行同样的地位，也不可能借助于“海量注资”来医治好当今金融资本主义的痼疾。美国的金融危机以及随后的欧洲债务危机作为一个“反面教员”，从反面告诉了人们当今资本主义的矛盾依旧，马克思和恩格斯在《共产党宣言》中对资本主义的分析没有过时。眼前在资本主义世界所发生的事实足以证明，金玉其外的资本主义，确实灯油已快燃尽，熄灭是迟早的事。

对于美国的金融危机从反面印证了《共产党宣言》的基本原理

这一点，已为许多西方思想家所确认。这里且列举若干：

德国经济史学家托马斯·库钦斯基这样说：《共产党宣言》发表已有160多年时间了，对《共产党宣言》的争论减少了许多，然而没有改变的是德国统治阶级的态度，他们对推广《共产党宣言》毫无兴趣，更不愿意传播它的理念，因为这些理念宣扬资本主义的覆灭和无产阶级革命。然而近些年来，资本主义世界遭受了严重的金融危机，这使得《共产党宣言》的理念得到了新的扩展空间；

加拿大约克大学政治学系教授利奥·帕尼奇指出，在金融危机情况下，以《共产党宣言》为标志的马克思主义理论已经开始复苏。人们原先一直存在着一种普遍的和很天真的想法，认为无产阶级可以在资本主义内部通过改革获得胜利，等待着突然有一天就超越了资本主义。美国的金融危机终于使许多人从这种错误认识中走了出来，回到了《共产党宣言》的正确轨道。金融危机完全证实了马克思在《共产党宣言》中所说的："资产阶级除非对生产工具，从而对全部生产关系不断进行革命，否则就不能生存下去"；

美国学者克里斯托弗·希钦斯指出，随着美国金融危机的爆发，《共产党宣言》理论与当前时代的相关性将被重新发现，马克思因此有可能成为21世纪最有影响力的思想家。只要资本主义存在，《共产党宣言》就值得阅读，马克思主义与资本主义是共生的关系，任何一方都不能独立生存；

瑞士银行资深经济顾问乔治·马格努斯强调，对于必须努力理解金融恐慌、各种抗议和其他影响世界的种种弊病的决策者来说，研读一下早就离世的卡尔·马克思的《共产党宣言》和《资本论》等著作大有好处。在金融危机和接下来的经济萧条中，马克思的幽灵已经从坟墓中复活；尽管这位老谋深算的哲学家对资本主义的分析有很多错误，但今天的全球经济却在某些方面和他预见的情况有不可思议的相似性。

类似这样的看法在当今西方的媒体上到处可见。就如金融危机波及全世界一样，马克思主义的复兴在资本主义世界的各个角落都可以被看到。这充分反映出，生活在资本主义世界中的人们已真切地感受到马克思的《共产党宣言》和《资本论》等著作对资本主义做出的深邃批判和科学预见，具有无可非议的现实意义。

第三个疑虑：世界上第一个社会主义国家解体了，东欧一大批社会主义国家易帜了，这难道还不能证明《共产党宣言》的基本原理在这一世界上是行不通的？

列宁领导的十月革命，是对马克思和恩格斯在《共产党宣言》中所提出的基本原理的伟大实践。列宁在马克思主义中的地位相当于圣保罗在基督教中的地位。没有列宁，以《共产党宣言》为标志的马克思主义就不可能从理论变为实践，马克思主义也不可能产生如此广泛的影响。当然，十月革命的成功也就意味着以《共产党宣言》为标志的马克思主义的伟大胜利。问题在于，苏联国旗在克里姆林宫上空高高飘扬了八十多年以后，在1991年轰然落地。世界上第一个社会主义国家解体了。与此同时，柏林墙倒塌了，东欧一批社会主义国家也相继易帜。

莫斯科红场。

正是在这种情况下，一些人开始借用苏东社会主义的失败来否定《共产党宣言》的当代价值。在他们看来，苏东社会主义的失败不仅使人们有理由重新认识十月革命的“合理性”，而且也使人们有理由怀疑《共产党宣言》的基本原理在这一世界上是否真正具有现实意义。也就是说，苏东社会主义的失败不仅证明了十月革命是具有“原罪”的，而且也证明了《共产党宣言》的基本原理只是一些乌托邦的臆想，不仅应当宣布列宁主义已经破产了，而且还应当把以《共产党宣言》为标志的马克思主义送到历史博物馆去，因为它只配作为一种“历史文物”供人们展览。

全部的关键在于苏东社会主义失败的原因究竟何在？如果苏东社会主义的失败确实是由于苏东社会主义国家实施了《共产党宣言》的基本原理，把马克思主义付诸实践而带来的必然结果，那么，人们确实有理由在苏东社会主义的失败与《共产党宣言》的基本原理的失败之间直接画上等号，有理由把以《共产党宣言》为标志的马克思主义送进历史博物馆去。但是，倘若苏东社会主义的失败并不是由于实施了《共产党宣言》的基本原理；恰恰相反，是由于违背了《共产党宣言》的基本原理造成的，那么，我们还有什么理由把苏东社会主义的失败与《共产党宣言》的基本原理“绑”在一起，硬要把苏东社会主义的失败说成是《共产党宣言》的基本原理的破产呢？

造成第一个社会主义国家解体的原因十分复杂，既有近因又有远因，既有外因又有内因。但有一点必须肯定，最主要的原因就是苏联某些领导人放弃甚至背叛了《共产党宣言》的基本原理。他们对《共产党宣言》的基本原理起码存在着以下三个方面的放弃甚至背叛。[44]

其一，在阶级斗争问题上的放弃与背叛。在上一章我们业已指出，阶级斗争理论是《共产党宣言》的一个基本原理。列宁领导苏联无产阶级和广大劳动人民正是通过激烈的阶级斗争才建立了世界上第一个无产阶级政权。关键在于，无产阶级夺取政权以后的苏联，是否还存在着阶级斗争？对此，无论是列宁还是斯大林头脑都是十分清醒的，他们坚持和发展了马克思和恩格斯在《共产党宣言》中所阐述的阶级斗争和无产阶级专政理论。列宁的《国家与革命》一书可以视为对《共产党宣言》一书的阶级斗争和无产阶级专政理论的继承和发展。列宁与一切否定在社会主义条件下继续存在着阶

1920年8月出版的《共产党宣言》中译本（书名错印为《共党产宣言》）。

级斗争的观点进行了不含糊的斗争。斯大林也不断告诫全党千万不能忘记在社会主义条件下存在着阶级斗争。众所周知，斯大林的阶级斗争理论是有严重缺陷的，这主要表现于他提出了随着社会主义建设的胜利“阶级斗争会越来越尖锐”的观点。理论上的错误导致了他在实践中将阶级斗争扩大化，人为地“制造”阶级斗争。斯大林逝世以后，赫鲁晓夫如果能够正确地纠正斯大林的错误，那就能使苏联在这一问题上完全回到马克思主义的轨道上来，但显然他并没有这样去做。他以批判斯大林搞“大清洗”运动为名，竟然大肆宣扬阶级斗争熄灭论。他反对阶级斗争扩大化而走向了另一个极端。他完全不顾当时苏联存在着反共反社会主义分子和贪污盗窃罪犯等客观现实，更完全不顾当时西方资本主义国家正在不择手段地对苏联实施和平演变的客观现实，公然宣布：“在苏联已经没有敌对的阶级和阶层”，“资本主义在苏联复辟的危险业已消除，社会主义不仅取得了完全的胜利，而且取得了彻底的胜利”。正是以阶级斗争熄灭论为依据，赫鲁晓夫又提出了“全民国家”的论调，从而从根本上动摇了无产阶级专政的根基。后来戈尔巴乔夫上台以后，更是把“阶级斗争熄灭论”和“全民国家”理论发展到极致。他把民主与专政完全对立起来，只要前者不要后者，宣扬要“无条件地实施民主”。面临国内反共反社会主义的敌对势力发动大规模的“街头政治”甚至以暴力推翻苏维埃政权的关键时刻，面临一心想颠覆苏维埃政权的国外敌对势力对苏联进行西化、分化活动的关键时刻，他步步退却，竟然反复强调“我不能接受下述建议和意见，即我们需要专政，只有这种专政才能拯救我们”。当无产阶级放弃阶级斗争的武器的时候，资产阶级却正在抓紧拿起这一武器向你进攻；当无产阶级放弃了对资产阶级实施专政的时候，资产阶级却趁机对无产阶级实施专政，苏联发生的情况再次证明了《共产党宣言》

的这一判断是正确的。

其二，在党的建设问题上的放弃与背叛。《共产党宣言》是世界上第一个无产阶级政党的纲领，对无产阶级政党的性质、任务、指导思想和奋斗目标都做出了明确的规定。其中最重要的是马克思和恩格斯在《共产党宣言》中阐述了共产党作为无产阶级政党的鲜明的阶级性和先进性。按照马克思和恩格斯的论述，共产党是无产阶级的先锋队，是“各国工人政党中最坚决的、始终起推动作用的部分”；共产党代表的是无产阶级和广大劳动人民的诉求，为他们谋利益。只要共产党的性质没有改变，它就只能如此。赫鲁晓夫在鼓吹“全民国家”的同时又宣扬“全民党”。他在苏共二十二大题为《关于苏联共产党纲领》的报告中赤裸裸地说道：“作为工人阶级政党而产生的我们的马克思列宁主义的党，成了全体人民的党。”把共产党说成是“全民党”，这是完全违背了《共产党宣言》的建党原则。共产党人的阶级性和先进性都不见了，把共产党人等同于一般的老百姓。而只要是政党，总是某一特定阶级的代表，“全民党”实际上是不可能存在的，“全民”和“政党”这两个词不可能连在一起。把共产党说成是“全民党”，实际上是要把共产党改造成资产阶级政党。由于无产阶级的利益是与广大劳动人民的利益一致的，所以共产党代表无产阶级的利益实际上也代表了广大劳动人民的利益。而赫鲁晓夫宣扬共产党不能只代表无产阶级的利益而应当代表人民大众的利益，这是把无产阶级的利益与广大劳动人民的利益对立起来，连无产阶级的利益也代表不了，怎么还能代表广大劳动人民的利益？撇开了无产阶级的利益来抽象地谈论广大劳动人民的利益，是一种欺骗。在如何对待共产党性质的问题上，戈尔巴乔夫比赫鲁晓夫走得更远。他公开宣称要抛弃“与全人类价值相对立”的“阶级立场”。1990 年 2 月，苏共全会在他的主持下通过了所谓的《行动纲领草案》，这一《行动纲领草案》公然规定苏联共产党是“自治的社会组织的最高形式”。在其后召开的苏共二十八大所通过的苏共党纲则重申，苏联共产党是“按照自治原则联合苏联公民的政治组织”。与赫鲁晓夫一样，他名义上是要把苏联共产党变成一个“苏联公民的全民组织”，而实际上他是要把苏联共产党“改革”成一个只为极少数人谋取私利的工具。苏联是先“亡党”而后“亡国”。当戈尔巴乔夫宣布苏联共产党是一个“苏联公民的全民组织”之时，作为无产阶级政党的苏联共产党已经消亡了。而当宣布作为第一个社会主义国家的苏联解体之时，由于作为无产阶级政党的苏联共产党已荡然无存，从而也不可能遭到强烈的抵制，一切是那么“顺理成章”。

其三，在意识形态问题上的放弃与背叛。马克思和恩格斯在《共产党宣言》中从历史唯物主义出发，深刻地指出：“思想的历史除了证明精神生产随着物质生产的改造而改造，还证明了什么呢？任何一个时代的统治思想始终都不过是统治阶级的思想。”（第 51 页）马克思和恩格斯在这里讲得十分清楚，历史上的“任何一个时代”，其占统治地位的思想都不过是“统治阶级的思想”，而在无产阶级夺取政权以后的社会主义社会，其占统治地位的思想也只能是作为统治阶级的无产阶级的思想。马克思主义即无产阶级的世界观，所以无产阶级的思想占统治地位也就是马克思主义占统治地位。对此，不能有丝毫的含糊。应当说，苏联共产党在很长一段历史时期内，是坚持了马克思主义作为指导思想的。也正因为如此，苏联在革命和建设方面取得了辉煌的成就，苏联的国旗也一直在克里姆林宫上空高高飘扬着。对马克思主义作为指导思想开始动摇，也始于赫鲁晓夫，他推崇指导思想的“多元化”，企图在意识形态上也向西方资产阶级意识形态“开放”，为各种资产阶级思潮涌入苏联“大开绿灯”。而到了戈尔巴乔夫上台以后，抛弃马克思主义作为指导思想更是到了无以复加的程度。他在“反对精神垄断”的旗号下，让马克思主义放弃自己的理论阵地，实际上是让苏联共产党在意识形态上解除自己的武装。他在对马克思主义进行全面“围剿”的同时，又竭力把西方的一些资产阶级思想引进来，并奉为圭臬，称之为“全世界共同的世界观”“全世界共同的精神财富”。其中最突出的是，用“人道的民主的社会主义”来取代《共产党宣言》所阐述的科学社会主义。马克思和恩格斯在《共产党宣言》中为了坚持科学社会主义，专设一个部分，即第三部分，用以批判形形色色的“社会主义”，揭露这些所谓的“社会主义”的阶级本性以及对无产阶级事业的危害，划清它们与科学社会主义的界限。而到了戈尔巴乔夫那里，重新把与当年马克思和恩格斯所批判的各种“社会主义”没有本质区别的所谓的“人道的民主的社会主义”，来对抗和取代马克思和恩格斯竭力捍卫的科学社会主义。当把这种所谓的“人道的民主的社会主义”作为指导思想让人们接受之时，也就是苏联共产党亡党、苏联作为社会主义国家亡国之时。

如何看待苏联解体的原因是一个非常严肃的问题。如果我们用平静的、不带任何偏见的态度分析这一历史事件，那么就可以清楚地看到，贯穿于苏共亡党、苏联解体的整个过程的，是苏联一些领导人对《共产党宣言》的基本原理的放弃与背叛。苏共亡党、苏联解体从反面显现了《共产党宣言》的当代价值。正像当年十月革命、红旗升起，西方资产阶级和一切社会主义的敌对势力惊恐万分一样，如今的苏联解体、红旗落地，西方资产阶级和一切敌对势力则额手相庆。他们千方百计地把苏联解体说成是以《共产党宣言》为标志的“马克思主义”本身的失败。他们的主要手法先是把苏联的解体归结为所谓的“斯大林模式”，接着又把“斯大林模式”与马克思主义联系在一起。他们借助于苏联解体，先是否定斯大林，接着“顺藤摸瓜”继续否定列宁和马克思、恩格斯。我们不否认斯大林时期苏联共产党所犯的错误是后来苏联解体的一个因素，但是事情十分清楚，斯大林时期形成的体制后来被凝固成一种僵化的体制只是蕴含着失败的可能性，使这种可能性变成现实性的是后来的苏联一些领导人对《共产党宣言》的基本原理的放弃和背叛，正是他们的错误路线和政策才使本来可以纠正的错误变成无可挽回的失败。[45]我们认为，把苏联解体全然归因于斯大林也不能成立，更不要说归因于列宁和马克思、恩格斯了。我们完全可以这样说，苏联的解体不是以《共产党宣言》为标志的马克思主义的失败，而是背弃以《共产党宣言》为标志的马克思主义的失败。邓小平在苏联解体后不久的南方谈话中曾经针对把苏联解体与马克思主义联系在一起的偏见，说了这么一段话："从一定意义上说，某种暂时复辟也是难以完全避免的规律性现象。一些国家出现严重曲折，社会主义好像被削弱了，但人民经受锻炼，从中吸取教训，将促使社会主义向着更加健康的方向发展。因此，不要惊慌失措，不要认为马克思主义就消失了，没有了，失败了。哪有这回事！"[46] 邓小平的这段话气吞山河、鞭辟入里，正如他所言，把苏联解体说成是《共产党宣言》的基本原理失败了，没用了，不是别有用心就是目光如豆，"哪有这回事"！

上面我们破解了当今存在于一些人心中的对《共产党宣言》现实意义的三大疑惑。我们相信，随着这些疑惑的解开，人们一定能领悟到《共产党宣言》至今仍然闪耀着真理的光辉，当今人类仍然需要以《共产党宣言》作为自己的指路明灯。其实，只要我们静下心来，认真地阅读几遍《共产党宣言》的原文，再放眼看一下当今世界，我们一定能真切地领悟到《共产党宣言》对当今世界具有何等深刻的现实性。且让我们在这里随手摘录若干段落：

"资产阶级在它已经取得了统治的地方把一切封建的、宗法的和田园诗般的关系都破坏了。它无情地斩断了把人们束缚于天然尊长的形形色色的封建羁绊，它使人和人之间除了赤裸裸的利害关系，除了冷酷无情的'现金交易'，就再也没有任何别的联系了。……它把人的尊严变成了交换价值，用一种没有良心的贸易自由代替了无

马克思（1818—1883）

爱因斯坦（1879—1955）

牛顿（1643—1727）

达尔文（1809—1882）

在千年交替之际，马克思被西方媒体评为“千年思想家”，并高居榜首。爱因斯坦、牛顿和达尔文分列第二、三、四名。

数特许的和自力挣得的自由。”（第 33—34 页）

“资产阶级抹去了一切向来受人尊崇和令人敬畏的职业的神圣光环。它把医生、律师、教士、诗人和学者变成了它出钱招雇的雇佣劳动者。”（第 34 页）

“在资产阶级社会里，资本具有独立性和个性，而活动着的个人却没有独立性和个性。”（第 46 页）

“资产阶级日甚一日地消灭生产资料、财产和人口的分散状态。它使人口密集起来，使生产资料集中起来，使财产聚集在少数人的手里。由此必然产生的结果就是政治的集中。”（第 36 页）

“现代的工人只有当他们找到工作的时候才能生存，而且只有当他们的劳动增殖资本的时候才能找到工作。这些不得不把自己零星出卖的工人，像其他任何货物一样，也是一种商品，所以他们同样地受到竞争的一切变化、市场的一切波动的影响。”（第 38 页）

“由于推广机器和分工，无产者的劳动已经失去了任何独立的性质，因而对工人也失去了任何吸引力。工人变成了机器的单纯的附属品，要求他做的只是极其简单、极其单调和极容易学会的操作。”（第 38 页）

“雇佣劳动的平均价格是最低限度的工资，即工人为维持其生活所必需的生活资料的数额。因此，雇佣工人靠自己的劳动所占有的东西，只够勉强维持他的生命的再生产。”（第 46 页）

陈望道（1891—1977），浙江义乌人，《共产党宣言》第一个全译本的译者。

就用这么几段话对照一下当今世界上人类，特别是广大劳动者的真实处境，谁还能说《共产党宣言》过时了呢？

事实非常清楚：只要这个世界上还有被剥削、被压迫的穷人存在；只要这个世界上人和人之间除了赤裸裸的利害关系，除了冷酷无情的“现金交易”，就再也没有任何别的联系了；只要这个世界上人的尊严都变成了交换价值；只要这个世界上医生、律师、教士、诗人和学者都变成了资产阶级出钱招雇的雇佣劳动者；只要这个世界上资本具有独立的个性，而活动着的个人却没有独立性和个性；只要这个世界上财富越来越集中在少数人手里；只要这个世界上的工人被迫像货物一样出卖自己；只要这个世界上工人在劳动中只是履行一种工具的功能，在劳动中只有痛苦没有乐趣；只要这个世界上工人靠自己的劳动所占有的东西，只能勉强维持他的生命的再生产，那么《共产党宣言》就有了超过《圣经》的划时代意义。

四

《共产党宣言》的革命精神永不过时

贯彻于上述《共产党宣言》六个方面的理论的一根红线就是“革命”两字。阅读《共产党宣言》，犹如聆听《国际歌》，无产阶级和广大劳动人民顿时心潮激荡，热血沸腾，充满着革命的情怀。

《共产党宣言》是部渗透着革命精神的著作，它在无产阶级革命史上产生过划时代的作用，这是确信无疑的。

中国革命的胜利，中国实现民族的解放，离不开以《共产党宣言》为标志的马克思主义的指引，这一点已成为客观存在的历史事实，也很少有人加以否定。

毛泽东、邓小平、周恩来是当今中国人民心目中的伟人，他们为中华民族的解放和振兴立下了不朽的功勋。请看他们如何不约而同地认为是《共产党宣言》指引自己走上了马克思主义的革命道路的。

1939 年，毛泽东同斯诺这样说道：我第二次到北京期间，读了许多关于俄国所发生的事情的文章。我热切地搜寻当时所能找到的极少数的共产主义文献的中文本。有三本书特别深刻地铭记在我的心中，使我树立起对马克思主义的信仰。他所说的第一本书就是陈望道译的《共产党宣言》。他说，在《共产党宣言》的影响下，到了1920年夏天，我已经在理论上和在某种程度的行动上，成为一个马克思主义者，而且从此我也自认为是一个马克思主义者了。

也正是在这一年，陶铸的夫人曾志在延安向毛泽东汇报工作和请教学习问题时，毛泽东对曾志说：《共产党宣言》我看了不下一百遍，遇到问题，我就翻阅马克思的《共产党宣言》，有时只阅读一两段，有时全篇都读，每阅读一次我都有新的启发。

邓小平是在巴黎勤工俭学期间接触到《共产党宣言》的，正是由于受到了《共产党宣言》的熏陶，才选择了加入共产党，走上了革命的道路。他在1992年著名的南方谈话中深情地说：我的入门老师是《共产党宣言》。

周恩来对《共产党宣言》的感情是如此之深，认为《共产党宣言》对自己一生的影响是如何地真切，以至1975年1月在人民大会堂召开的全国四届人大一次会议上，他专程走到《共产党宣言》中文版本首译者陈望道先生跟前，问是否能找到第一版本的《共产党宣言》，他想再看一眼。陈望道先生看着病重中总理的眼神，无奈地摇了摇头。

以毛泽东为代表的中国老一代共产党人成功地将实现中华民族的解放与实现《共产党宣言》的崇高理想结合在一起。中国人民在中国共产党的领导下，以《共产党宣言》为自己的思想武器，坚

1937年上半年，斯诺在北平盔甲厂13号寓所写作《西行漫记》期间的照片。

周恩来同志读过的马克思著作。

持马克思主义的中国化，终于推倒了三座大山，建立了中华人民共和国。我们完全可以说，没有《共产党宣言》的照耀就没有中国革命的胜利，也就没有社会主义的祖国。

关键在于：中华人民共和国成立以后，特别是在中共十一届三中全会确定工作的重心转移到经济发展上以后，当中国人民在实现民族解放的基础上，进一步自觉地把实现民族振兴作为自己的历史使命以后，还需要不需要《共产党宣言》的指引？

历史已证明，中华民族的解放是在《共产党宣言》的旗帜下取得的，那么实现民族的振兴是否可以丢掉这面旗帜？

以毛泽东为代表的老一代中国共产党人成功地把实现民族解放与实现《共产党宣言》的理想成功地结合在一起，在今天我们是否还有必要和还有可能把实现民族振兴与实现《共产党宣言》的理想结合在一起？

正是在这一事关中华民族的前途和命运大是大非的问题上，我们有些人思想模糊了，对《共产党宣言》的信念动摇了。不知从什么时候起，在我们国内吹起了一股否定《共产党宣言》的风，一些人或明或暗地宣扬贯穿于《共产党宣言》的是一种革命理论，而我们处于社会主义建设时期，所以不能用《共产党宣言》的思想来指导当代中国。

按照这些人的逻辑，正在从事建设中国特色社会主义的伟大事业的中国人民完全可以对《共产党宣言》不屑一顾。中国共产党连作为共产党的最原始也是最重要的纲领性文件的《共产党宣言》也完全可以不需要了。

由此看来，要认识《共产党宣言》在当今中国还有没有意义以及有着怎样的意义，关键在于要弄清楚中国共产党在当今还是不是一个革命政党，中国共产党在当今所从事的事业与革命还有没有关系。如果当今的中国共产党已如有些人所说的那样不是一个“革命党”而是一个“建设党”了，而当今我们所从事的事业已如有些人所说的那样是与“革命”完全不相干的，那么《共产党宣言》确实在当今中国很难说还有什么现实意义。但恰恰这样认识中国共产党和中国共产党当今所从事的事业是错误的。

我认为，首先应当为“革命”两字正名。“革命”这一概念，特别是《共产党宣言》中的“革命”概念，曾经是一个非常令人神往激动人心的概念。多少革命志士正是为了革命参加革命队伍，为了革命而抛头颅洒热血。但是，不知从什么时候起，“革命”在当今中国一些人眼里，竟然成了一个贬义词。他们把革命与破坏、恐怖完全等同在一起，与之相应，把革命者等同于强盗、匪徒、恐怖分子。他们对“革命”竭力加以贬低、攻击、咒骂。在这种情况下，要正确认识当今中国共产党、当今中国共产党所从事的事业与“革命”有关系，当然首先得恢复“革命”这一词汇应有的光环。无论是回顾过去，还是瞻望未来，革命永远是人类历史前进的基本动力。《共产党宣言》的基本理论不但告诉我们，“革命”的发生有其必然性，也就是说，不管你喜欢不喜欢，革命都会发生，都不会以个人的主观愿望为转移，而且也向我们揭示出“革命”就是历史前进的原动力，也就是说，人类历史的进步与发展总是离不开革命，任何力量都无法替代它。

革命的形式当然有多种多样，有激进的也有渐进的，有激烈的也有平稳有序的。但无论是持何种形式，其宗旨和目标都是同一的，即都是要改变旧世界和建设世界。因此，中国共产党无论是处于激进时期还是处于渐进时期，其宗旨和目标不能变，相应地其革命的本色和革命的精神不能变。靠革命起家的中国共产党，一旦真正告别了“革命”，其领导中国的合法性也荡然无存。

全部的关键在于，如何理解中国共产党在领导中国人民推翻三座大山、建立中华人民共和国以后，它的角色所发生的变化。非常清楚，只能把这一变化理解成是其在社会政治构架中的地位发生了变化。原先在全国范围内讲，它并不处于执政地位，现在则变成了领导整个国家的执政党了。实现共产主义是作为无产阶级政党的最高纲领，中国共产党取得执政地位是实现这一最高纲领中的重要一步，绝不意味着要抛弃最高纲领，告别革命。这里的关键就在于，不能离开党的最高纲领来谈所谓中国共产党的角色转换。中国共产党坚持实现共产主义的最高纲领，就是坚守自己的基本性质。牢记中国共产党的基本性质和根本任务是什么，这是问题的关键之所在。如果认为中国共产党在夺取政权以后就可以放弃革命了，这就是否定中国共产党的基本性质和根本任务。中国共产党夺取政权以后实现角色的转换，实际上把工作的重心转换到另一个阶段性的任务上来。这里有一个党的最高纲领和阶段性纲领统一的问题。共产党人既是理想主义者又是现实主义者，他们必须为党的当下任务而努力奋斗，但他们明白，在完成当下任务的时候，是在为将来向更高阶段准备条件，是在一步一步地接近并最终实现党的最高纲领。如果这样来认识党的最高纲领与阶段性纲领的关系，那就不会在完成某一阶段性任务时，把最高纲领置之脑后，误以为可以丢弃革命精神了。总之，我们必须以中国共产党的最高纲领的标尺来给中国共产党夺取政权以后的角色转换加以定位。

有些人之所以如此热衷于强调从“革命党”向“建设党”的转换，是为了说明从事经济建设不需要原先的那种革命精神了，中国共产党也不需要保持革命党的本色了。他们把中国共产党的角色转换理解成：把革命意识转换为建设意识，又把建设意识转换为“纯技术”的操作意识。所以，这里确实存在着一个“革命”与“建设”的关系问题，存在着一个中国共产党从事经济建设究竟还需要不需要革命精神的问题。进行经济建设不仅是共产党，在一定意义上是所有执政党共同具有的执政行为。可以说，进行经济建设并不反映政党的政治属性。抓经济建设当然是重要的，一个执政党搞不好经济建设就会失去执政地位。但我们必须更进一步知道，如果这个党放弃了标志其本质政治属性的社会价值观和以这种价值观为动力的精神追求，那么这个党不仅是丢掉执政地位的问题，甚至会瓦解，连翻本的机会都没有！

总之，撇开了革命来谈建设，把建设与革命相割裂，其结果不但否定了中国革命，也否定了中国共产党。中国共产党在夺取政权的阶段需要有革命精神，在从事经济建设的阶段同样需要有革命精神。

与苏共形成鲜明对照的是，中国共产党一方面强调要实现角色转换，增强执政的意识和能力，另一方面则不丢掉革命精神，保持着自己的政治属性。尽管在中国不时地出现要中国共产党改变自己的政治属性的杂音，尽管有些人力图使中国学术界对于中国共产党的角色转换的正常讨论演变为改变中国共产党革命本色的舆论准备，但中共领导人头脑始终十分清醒，他们在坚持以经济建设为中心的同时，致力于"党要管党、从严治党"，围绕着党的建设新的伟大工程这一总目标，进行党的先进性和纯洁性建设。中国共产党在当今中国是一个执政党，同时也是一个革命党，决不是一个纯粹的"建设党"。这就是为什么苏共不但失去执政地位，连党组织本身也消亡，而中共在中国则产生日益强大的影响力和凝聚力，取得了举世瞩目的成就的奥秘之所在。

邓小平是进入新的历史时期的引路人、改革开放的总设计师。

他把我们所从事的改革开放事业与革命联系在一起。这方面他有着一系列明确的论述。

现在中国特色的社会主义进入了新时代，以习近平同志为核心的党中央对保持革命精神的强调也达到了一个新高度。

有人把习近平在中共第十九次全国代表大会上的报告称为新时代的《共产党宣言》，这在某种意义上是正确的。我们确实看到，在《共产党宣言》与习近平在中共第十九次全国代表大会上的报告之间有着不可分割的内在联系：

习近平在中共第十九次全国代表大会上的报告中强调“不忘初心，牢记使命”[47]，这一初心和使命正是中国共产党的初心和使命，也是《共产党宣言》的初心和使命；

这一报告提出“全党尊重党章，增强政治意识、大局意识、核心意识、看齐意识”[48]，“尊重党章”和“增强政治意识”也就是尊重《共产党宣言》和增强对《共产党宣言》的意识；

这一报告在回顾总结“过去五年的工作和历史性变革”时特别强调“党在革命性锻造中更加坚强，焕发出新的强大生机活力，为党和国家事业发展提供了坚强政治保证”[49]，这是把《共产党宣言》所体现的革命性锻造得更加坚强视为党五年来工作的最主要的成就之一；

这一报告提出“中国共产党一经成立，就把实现共产主义作为党的最高理想和最终目标”[50]，现在“必须坚持马克思主义，牢固树立共产主义远大理想和中国特色社会主义共同理想”[51]，这再次重申了《共产党宣言》所阐述的共产主义的目标正是中国共产党的远大理想；

这一报告提出“必须进行伟大斗争”，特别强调“社会是在矛盾运动中前进的，有矛盾就会有斗争”[52]，这是《共产党宣言》的革命理论与革命精神的当代展现。

纵观这一报告的全部内容，处处可以看到对《共产党宣言》的基本理论的继承和发展。这一报告全面地阐述了习近平新时代中国特色社会主义的理论体系，而这一理论体系与以《共产党宣言》为标志的马克思主义是一脉相承的，既是当代中国马克思主义，又是21世纪的马克思主义。

中共十九大以后，习近平总书记在一些场合更强调中国共产党必须保持革命的精神。2018年1月5日上午，习近平总书记在学习贯彻党的十九大精神研讨班在中央党校开班式上发表重要讲话，将新时代坚持和发展中国特色社会主义确认为“伟大社会革命”，并旗帜鲜明地提出“以党的自我革命来推动党领导人民进行的伟大社会革命”。这篇讲话中多次提到“革命精神”：“不忘初心，牢记使命，就不要忘记我们是共产党人，我们是革命者，不要丧失了革命精神”，“要实现党和国家兴旺发达、长治久安，全党同志必须保持革命精神、革命斗志”，“新时代党的建设新的伟大工程，既要培元固本，也要开拓创新，既要把住关键重点，也要形成整体态势，特别是要发挥彻底的自我革命精神”。

“革命”与“奋斗”是习近平总书记最近讲话的主题词。在《共产党宣言》问世170周年之际，中共中央政治局4月23日就《共产党宣言》及其时代意义举行了第五次集体学习，对于为什么要学习《共产党宣言》？习近平总书记给予了清晰的解答：《共产党宣言》是一个内容丰富的理论宝库，其第一次全面阐述了科学社会主义原理，是一部科学洞见人类社会发展规律的经典著作，是一部充满斗争精神、批判精神、革命精神的经典著作，是一部秉持人民立场、为人民大众谋利益、为全人类谋解放的经典著作……为我们认识世界、改造世界提供了强大思想武器，为世界社会主义指明了正确前进方向。

我们共产党的态度是什么？习近平总书记明确宣示中国共产党就是《共产党宣言》精神的忠实传人，因为我们党开辟的新民主主义革命道路、社会主义革命道路、社会主义建设道路、中国特色社会主义道路，都是把马克思主义基本原理同中国具体实际相结合的伟大创造。

实际上，中共十八大以来，以习近平同志为核心的党中央为维护中国共产党的革命性全方位地展开工作。这里我们且列举若干方面。

其一，引导党员做共产主义远大理想的坚定信仰者和忠实执行者，维护其基本纲领的革命性。如前所述，判断一个号称共产党的政党是不是还具有革命的政治属性，是不是还是名副其实地作为无产阶级政党的共产党，主要看其有没有放弃实现共产主义这一最高纲领，看其是不是还坚持共产主义这一崇高理想，看其是不是还把作为共产主义的理论依据的马克思主义视为自己的指导思想。

亨利希·海涅（1797—1856），德国诗人，革命民主主义运动的先驱，马克思一家的亲密朋友。

我们看到，以习近平同志为核心的党中央在全面推进改革开放的新时期，率领全国人民努力取得“接力赛”中当代人这一棒的优异成绩之际，特别强调要坚持共产主义的信仰、坚持马克思主义的理想。

其二，坚决清除党内的腐败分子，不断纯洁自己的革命队伍。作为无产阶级政党的共产党要维护自己的革命本色，就必须使自己的队伍尽可能地纯洁，这就需要不断地清除党内的腐败分子。自己的革命队伍的纯洁，是维护革命本色的基础和前提。我们看到，中共十八大以来，以习近平同志为核心的党中央高举反腐利剑，向腐败分子动真格，其反腐力度之大，声势和影响力之强前所未有。中共实施有腐必反，有贪必肃，产生了显著的成效，这就是：确保了自己队伍的纯洁性，与此相应，维护了自己的革命本色。

其三，强调人民的主体地位，通过强化人民性来强化革命性。判断某个共产党还保持着革命的本色，说到底是看其与广大人民群众的关系，即它是否还代表着广大人民群众的利益。共产党的革命本色集中体现在与广大人民群众的血肉联系上。我们也看到，以习近平同志为核心的党中央有着深厚的人民情结、为民情怀。他们把中国共产党的革命本色建立在忠实地代表广大人民群众的利益这一根基上。无产阶级政党的革命属性最本质的特点就是其无私性，即除了广大人民群众的利益之外没有自己的私利，以习近平同志为核心的党中央通过建立与人民群众的血肉联系，充分表现出了自己的“无私性”，同时也维护了中国共产党的革命本色。

其四，加强党内法规制度建设，从制度上确保党的革命本色。维护党的革命本色显然仅仅在理念层面上做文章是远远不够的，还得有一系列制度、法规加以保证。可以说，理想信念和制度建设是确保执政党本色的两大支柱，缺一不可，如车之双轮、鸟之两翼。对此，习近平曾经深刻地指出：坚持思想建党和制度治党紧密结合。从严治党靠教育，也靠制度，二者一柔一刚，要同向发力，同时发力。要使加强制度治党的过程成为加强思想建党的过程，也要使加强思想建设的过程成为加强制度治党的过程。基于这一认识，以习近平同志为核心的党中央把深化党的建设制度改革，加强党内法规制度建设，作为从严治党的主要手段，也是作为维护党的革命本色的中心环节。

五

《共产党宣言》在当今中国的意义

我的基本观点是：当今中国人民比以往任何时候都需要《共产党宣言》的指引。我国正处于社会主义现代化建设的关键时刻，之所以出现这样那样的问题其中一个重要因素就是背离了《共产党宣言》的基本原则。为了推进建设中国特色社会主义的伟大事业，为了真正实现振兴中华民族的宏伟目标，当今急需要做的就是进行《共产党宣言》的启蒙教育。当今的中国人，特别是先进的中国人只有像当年毛泽东、邓小平、周恩来等那样如饥似渴地从《共产党宣言》中接受真理的熏陶，用《共产党宣言》的理论武装自己，才能真正担当起自己新的历史使命。

那么，当今中国人民究竟如何以《共产党宣言》为自己的思想武器，从《共产党宣言》中吸取自己的精神力量呢？

《共产党宣言》有六个方面的基本理论，我们逐一探讨。

第一，如何以《共产党宣言》所提出的唯物史观，即《共产党宣言》所提出的“每一历史时代的经济生产以及必然由此产生的社会结构，是该时代政治的和精神的历史的基础”为思想武器，增强对党的基本路线，对党的实事求是的思想路线的信念。

我们建设中国特色社会主义的伟大事业是在马克思主义的指引下展开的，而这里所说的马克思主义首先是《共产党宣言》中阐述的唯物史观。

其一，马克思主义的这一唯物史观可以帮助我们深刻认识坚持党的基本路线，坚持以经济建设为中心的重要意义。

中国道路正是中国共产党和中国人民，在自觉地推进以社会矛盾运动为基本内容的唯物史观中国化过程中形成的，中国道路是唯物史观中国化的伟大成果。社会基本矛盾理论是中国特色社会主义理论体系得以产生和发展的一个重要理论生长点。当然同样也可以反过来说，以社会基本矛盾理论为核心内容的马克思主义的唯物史观借助于中国道路的成功，在新的历史条件下再一次得以“证实”，也正因为中国道路证明了以社会矛盾运动为基本内容的马克思主义的唯物史观是颠扑不破的真理，从而也就说明马克思主义从整体上、本质上看并没有过时。

中国道路坚持“以经济建设为中心”，实际上就是坚持以发展生产力为中心。“以经济建设为中心”是对马克思主义的社会矛盾运动理论的实际运用，而这样做的成功则首先强有力证实了马克思主义的社会矛盾运动理论。“以经济建设为中心”的理论依据就是唯物史观，更具体地说就是把生产力视为构成人类全部历史的基础的马克思主义的社会矛盾运动理论。唯物史观的基本原理是生产力决定生产关系，在生产力还十分落后的情况下，当然不能有“够格的社会主义”，基于此，唯一的选择是大力发展生产力。邓小平这样说道：“马克思主义的基本原理就是要发展生产力。马克思主义的最高目标就是要实现共产主义，而共产主义是建立在生产力高度发展的基础上的。社会主义是共产主义的第一个阶段，是一个很长的历史阶段，社会主义的首要任务是发展生产力，逐步提高人民的物质和文化生活水平。”20世纪70年代末80年代初，中国人民在改革开放总设计师邓小平的率领下，毅然决然地把工作重心转移到经济建设上来。自此以后，中国就形成了发展，特别是经济发展的共识，整个民族、整个国家都围绕着发展经济、发展生产力这一目标运转。这是中国的一个重大转折，是具有决定意义的重大转折，实际上这也是回归到马克思主义的唯物史观的一次重大转折。现在人们都把中国这30多年来的成功首先归结为实现这一重大转折的成功，即把工作重心转向经济建设、发展生产力上来的成功，当然，也可顺理成章地归结为马克思主义的唯物史观在中国实践的成功。

中国道路确认中国目前处于社会主义初级阶段，中国道路的开辟建立在对当下中国社会的性质的这一基本认定的基础之上。承认生产力决定生产关系，这是唯物主义地理解社会发展的关键。马克思主义的唯物史观强调有什么样的生产力就有什么样的生产关系。把握唯物史观本质上就是把握生产关系一定要适合生产力状况的规律。中国道路的开创者正是如实地反映了我国目前的生产力发展的要求，严格地从我国目前生产力发展的实际状况出发，提出我国目前处于社会主义初级阶段，并以此作为制定路线、方针和政策的基础。可以说，确认我国目前处于社会主义初级阶段是深刻把握生产关系一定要适合生产力状况这一唯物史观所揭示的基本规律的结果，当然，对中国目前社会性质的这一科学认定也有力地证明了唯物史观所揭示的这一规律的无比正确和巨大威力。确定目前我国尚处于社会主义初级阶段，主要就是确定目前我国与生产力发展状况相符合的所有制形式。这就是在坚持公有制为主体的前提下，发展非公有制经济成分，把公有制为主体、多种所有制经济共同发展确定为社会主义初级阶段的基本经济制度。按照这一基本经济制度，中国道路的开创者和引路人提出了两个“毫不动摇”的方针，即：毫不动摇地巩固和发展公有制经济，毫不动摇地鼓励、支持和引导非公有制经济发展。由于这一基本经济制度和基本方针适合了生产力发展的需要，所以有力地促进了生产力的发展。

中国道路开辟的过程也就是按照生产力和生产关系的辩证关系不断实施改革的过程。马克思主义的唯物史观告诉人们，生产力和生产关系是生产中的两个方面，它们有机地构成一定的生产方式。社会生产方式的发展是由生产力和生产关系的矛盾运动推动的。在这里，关键在于一方面要努力使适合于生产力的生产关系对生产力的发展发挥能动的反作用，即为生产力的发展提供广阔的场所；另一方面则必须不断地促使随着物质生产资料、生产力的变化和发展而变化和改变的社会生产关系，即主动地去调节、改变不适应生产力的那部分生产关系。邓小平倡导的改革的实质就是依据马克思主义的唯物史观的关于生产力与生产关系的矛盾运动理论，主动地去调节、改变不适应生产力的那部分生产关系。对此他说得十分清楚："社会主义基本经济制度建立以后，还要从根本上改变束缚生产力发展的经济体制，建立起充满生机和活力的社会主义经济体制，促进生产力的发展，这是改革，所以改革也是解放生产力。"毫无疑问，改革是中国这些年所取得成功的一个重要因素，而改革之所以能够取得成功，关键就在于改革调节和改变了不适应生产力的那部分生产关系，从而解放和发展了生产力。从这一意义上说，改革是马克思主义的唯物史所展现的社会主义社会基本矛盾运动发展的必然要求，是社会基本矛盾理论的自然发展和延续。马克思主义的社会基本矛盾理论在这里再一次得到"证实"。

其二，马克思主义的唯物史观可以使我们更自觉地坚持实事求是的思想路线。

马克思主义的辩证唯物主义的认识论、方法论就是能动的唯物主义反映论。马克思主义的能动的反映论继承了唯物主义的传统，坚决彻底地把物质第一性、意识第二性，意识是存在的反映这个一切唯物主义的基本前提作为认识论、方法论的基础。它不仅认为人们的一般意识、自然知识是社会存在的反映，同时还认为人们的社会意识、社会知识是对社会存在的反映，把反映论的原则贯彻到社会历史领域，对社会的意识现象作了唯物主义的解释。与此同时，马克思主义的能动的反映论又把科学的实践观引入了认识论，全面地、科学地解释了意识和存在、主观和客观在认识过程中的相互关系。以马克思主义的能动的反映论为主要内容的马克思主义辩证唯物主义的认识论、方法论是认识史、科学技术史的经验总结，同时又是能动地指导科学认识发展的指南。毛泽东同志曾经形象地用“实事求是”这一成语来概括马克思主义的唯物主义的认识论和方法论。“实事”就是具体实际、具体实践。“求是”就是从具体实际、具体实践中求得对客观规律的认识。毛泽东曾经提出人的正确思想来自哪里的问题，他强调人的正确思想只能来自于实践，认为人的认识只能来自于实践，反过来又指导实践，并在实践中不断丰富、发展，实践、认识，再实践、再认识……如此往复，以至无穷。

毫无疑问，中国特色社会主义道路的开辟离不开这一马克思主义的辩证唯物主义的思想路线。贯穿于中国道路的主线就是这一马克思主义的辩证唯物主义的思想路线。要不是中国道路的开创者首先在思想路线上拨乱反正，即回到辩证唯物主义的“实事求是”的思想路线上来，那么中国就不可能有改革开放以来的成就。马克思主义的辩证唯物主义的思想路线在走上改革开放的中国充分展现了其巨大的威力。马克思主义哲学，甚至可以说整个马克思主义的这一“精髓”借助于中国道路再次获得了强有力的证明。

邓小平于1978年12月13日在中共中央工作会议闭幕会上所作的题为《解放思想，实事求是，团结一致向前看》的讲话，被誉为“开辟新时期新道路、开创建设有中国特色社会主义新理论的宣言书”。这次中央工作会议为随即召开的中共十一届三中全会做了充分的准备，而邓小平的这个讲话实际上是三中全会的主题报告。今天再来看这篇文献，它最重要的作用是恢复了党的实事求是的思想路线，解放了人们的思想，促进全党，乃至整个中国遵循马克思主义的辩证唯物主义的思想路线前进。

邓小平在这个讲话中明确指出：“一个党，一个国家，一个民族，如果一切从本本出发，思想僵化，迷信盛行，那它就不能前进，它的生机就停止了，就要亡党亡国。”“只有解放思想，坚持实事求是，一切从实际出发，理论联系实际，我们的社会主义现代化建设才能顺利进行，我们党的马列主义、毛泽东思想的理论也才能顺利发展。”[53]邓小平在这个讲话中还特别强调，坚持实事求是的思想路线就是坚持马克思主义，因为“实事求是，是无产阶级世界观的基础，是马克思主义的思想基础。过去我们搞革命所取得的一切胜利，是靠实事求是；现在我们要实现四个现代化，同样要靠实事求是”[54]。

邓小平在发表这一讲话之际，一场关于真理标准问题的讨论正在全国展开。明明是一个属于马克思主义哲学 ABC 的问题，也会争论不休。事实清楚地表明，不打破思想僵化，不确立辩证唯物主义的思想路线，一切都无从谈起。中国通过讨论真理标准问题来开启自己的新型的发展道路，决不是偶然的。邓小平在这个讲话中对正在热烈展开的关于真理的讨论作了总结，他指出：“目前进行的关于实践是检验真理的唯一标准问题的讨论，实际上也是要不要解放思想的争论。大家认为进行这个争论很有必要，意义重大。从争论的情况来看，越看越重要。”[55]“关于真理标准问题的争论，的确是个思想路线问题，是个政治问题，是个关系到党和国家前途和命运的问题。”[56]邓小平在这里高度肯定这场争论的重大意义，把端正思想路线作为一个政治问题来认识，提高到关系党和国家前途和命运的高度上来认识。

当时中国确实百废待兴，邓小平就这样从端正党的思想路线，即从促进党回到辩证唯物主义的思想路线上来撬动历史的转折。十一届三中全会以后，中共实行了一系列改革开放的新政策，实现了全党工作重心的转移，中国正式走上了中国特色社会主义的大道。显然，这条道路是以思想路线的拨乱反正为先导的。

我们看到，这30多年，中国特色社会主义道路不断推进的过程也就是坚持马克思主义的实事求是的认识路线的过程。贯穿于中国特色社会主义道路的主线，就是辩证唯物主义的思想路线。每当在中国特色社会主义道路前进的关键时刻，中共领导人总是首先提出我们要遵循什么样的认识路线的问题。众所周知，正是1992年的邓小平的南方谈话使中国特色社会主义道路进入了一个新的境界。邓小平在这里对于困扰中国改革开放的一系列问题做出了正面回答，而他在回答这些问题的过程中总是首先告诫人们坚持实事求是的思想路线是正确认识和回答这些问题的先决条件。正是在这一著名的南方谈话中，邓小平提出：“最近，有的外国人议论，马克思主义是打不倒的。打不倒，并不是因为大本子多，而是因为马克思主义的真理颠扑不破。实事求是是马克思主义的精髓。要提倡这个，不要提倡本本。我们改革开放的成功，不是靠本本，而是靠实践，靠实事求是。”[57]“实践是检验真理的唯一标准。我读的书并不多，就是一条，相信毛主席讲的实事求是。过去我们打仗靠这个，现在搞建设、搞改革也靠这个。我们讲了一辈子马克思主义，其实马克思主义并不玄奥。马克思主义是很朴实的东西，很朴实的道理。”[58]事实正如邓小平的这段话所揭示的那样，中国道路的成功完全是中国“靠实践，靠实事求是”的结果，中国道路的胜利证明了实事求是的思想路线的胜利，又因为“实事求是是马克思主义的精髓”，从而又证明了“实事求是的思想路线的胜利”，证明了“马克思主义是打不倒的”。

第二，如何在新的历史条件下继承、修正和发展《共产党宣言》所提出的阶级斗争理论，即《共产党宣言》所做出的这样一个判断：“至今一切社会的历史都是阶级斗争的历史。”[59]

中国道路的开辟，是建立在一定的思想资源的基础之上的，显然，马克思主义是其最重要的思想资源。但是，有些人即使也承认中国道路的形成离不开马克思主义的指引，却也竭力割断中国道路与马克思主义的阶级斗争理论之间的内在联系，在他们看来，中国道路即使与马克思主义的其他理论有这样那样的联系，但与马克思主义阶级斗争理论则是完全对立的，不否定掉马克思主义的阶级斗争理论就没有中国道路。阶级斗争理论是马克思主义的核心，如果中国道路是与这一理论完全对立的，那么还有什么理由说中国道路是对马克思主义的继承和发展呢？在这种情况下，考察一下中国道路与马克思主义阶级斗争理论之间的内在联系，太重要了。我们的基本观点是：中国道路对马克思主义的继承与发展，包括了对马克思主义的阶级斗争理论的继承和发展；中国道路并没有全盘接受马克思主义阶级斗争理论，但中国道路也不是简单地将马克思主义的阶级斗争理论抛弃掉；中国道路一方面坚持和继承了马克思主义的阶级斗争理论，另一方面也确实在新的历史条件下修正和向前推进了这一理论。

其一，在确认阶级斗争在一定范围内还依然存在的前提下，否定“以阶级斗争为纲”，坚持“以经济建设为中心”。

《共产党宣言》开宗明义指出，“至今一切社会的历史都是阶级斗争的历史”。[59] 马克思和恩格斯在这里阐述了阶级社会发展的一般规律，指出被压迫阶级反抗压迫阶级的阶级斗争构成了阶级社会发展的直接动力。“压迫者和被压迫者，始终处于相互对立的地位，进行不断的，有时隐蔽有时公开的斗争，而每一次斗争的结局都是整个社会受到革命改造或者斗争的各阶级同归于尽。”[60]

正因为阶级斗争理论在《共产党宣言》，乃至在整个马克思主义理论体系中占有如此重要的地位，马克思主义和阶级斗争理论有着不可分割的内在联系，所以一旦在无产阶级运动内部有人出来否定这个理论之时，马克思和恩格斯马上会毫不留情地提出批评。1879 年，马克思和恩格斯就针对当时无产阶级运动内企图取消阶级斗争的倾向郑重声明：“将近 40 年来，我们一贯强调阶级斗争，认为它是历史的直接动力，特别是一贯强调资产阶级和无产阶级之间的阶级斗争，认为它是现代社会变革的巨大杠杆；所以我们决不能和那些想把这个阶级斗争从运动中勾销的人们一道走。”[61]他们这样告诫无产阶级和广大劳动人民：“只要取消了阶级斗争，那么无论是资产阶级或者是‘一切独立的人物’就‘都不怕和无产者携手并进了’！但是上当的是谁呢？只能是无产者！”[62]

事实清楚地表明，带领中国人民开辟中国道路的中国共产党的领导人并没有“和那些想把这个阶级斗争从运动中勾销的人们一道走”，他们深深地知道，如果“取消了阶级斗争”，最后“上当的”“只能是无产者”。这里让我们回忆一下中国道路的总设计师邓小平关于在新的历史时期阶级斗争仍然存在的一系列讲话。1979 年 3 月 30 日，邓小平在党的理论工作务虚会上明确地指出：“社会主义社会中的阶级斗争是一个客观存在，不应该缩小，也不应该夸大。实践证明，无论缩小或者夸大，两者都要犯严重的错误。”[63]1980 年 1 月 16 日，邓小平在中共中央召开的干部会议上又告诫这些领导干部说：“有人说，剥削阶级作为阶级消灭了，怎么还会有阶级斗争？现在我们看到，这两方面都是客观事实。目前我们同各种反革命分子、严重破坏分子、严重犯罪分子、严重犯罪集团的斗争，虽然不都是阶级斗争，但是包含着阶级斗争。”[64]同年 12 月 25 日，邓小平在中共中央工作会议上在列举了当时存在的种种严重违法乱纪行为后指出，“按性质来说，一种是敌我矛盾，一种是阶级斗争在人民内部的不同程度上的反映。这说明，阶级斗争虽然已经不是我们社会中的主要矛盾，但是它确实仍然存在，不可小看。”[65]从邓小平的这些讲话中丝毫看不出有否认阶级斗争存在的迹象。其他的中共领导人在这一问题上与邓小平的观点也是一致的。例如。江泽民也曾这样说道，在建设中国特色社会主义过程中，我们“不能丢弃马克思主义的阶级和阶级分析的观点和方法”，这种观点和方法“始终是我们观察社会主义同各种敌对势力斗争的复杂政治现象的一把钥匙”[66]。他们之所以如此地强调中国道路离不开马克思主义的指引，之所以把坚持“四项基本原则”作为中国共产党必须贯彻的“两个基本点”之一，在某种意义上就是为了强调中国共产党在新的历史时期仍然要继承马克思主义的阶级斗争理论。他们对马克思主义阶级斗争理论的继承不仅见之于他们的理论，更反映在他们所制定的一系列建设中国特色社会主义的战略和方针，以及与此相应的他们的实际行动上。这 30 多年，从反对精神污染、反对资产阶级自由化、反对国外境外敌对势力的渗透、平息动乱，到清除腐败“打老虎拍苍蝇”，哪一场不是他们率领中国人民开展的惊心动魄的阶级斗争？中国人民同敌视和破坏我国社会主义制度的国内外敌对势力和敌对分子的斗争，不正是一场场阶级斗争吗？

当然，对马克思主义阶级斗争理论的把握绝不能仅仅停留在知晓阶级斗争是客观存在的，阶级斗争是人类历史发展的动力上，更重要的是要领悟马克思主义的创始人如何揭示了阶级斗争存在的客观必然性。他们认为，这种必然性就来自于在阶级社会里生产力和生产关系、经济基础和上层建筑的矛盾。阶级斗争根源于由不同阶级对生产资料的占有关系以及在生产体系中所占的地位的不同，所引起的经济利益的不可调和。马克思和恩格斯解开了社会现象之谜，这就是：生产关系一定要适合生产力状况，上层建筑一定要适合经济基础状况。按照马克思和恩格斯的解释，在一定的场合，这种适合是依靠阶级斗争来实现的。

我们要真正领悟马克思主义的阶级斗争理论，还必须牢记马克思对这一理论所做的重要说明。这就是马克思在1852年致约·魏德迈的信中指出的，“在我以前很久，资产阶级历史编纂学家就已经叙述过阶级斗争的历史发展，资产阶级的经济学家也已经对各个阶级作过经济上的分析”，“我所加上的新内容就是证明了下列几点”，他所说的第一点就是“阶级的存在仅仅同生产发展的一定历史阶段相联系”。[67] 马克思在这里强调了阶级不是从来就有的，而是同社会分工的发展，以及与之相应的生产资料私有制的出现密不可分。阶级的消亡以生产力的高度发展为前提。确实，马克思主义的创始人开创性地把阶级的存在与生产发展的一定历史阶段联系在一起。

既然按照马克思主义的阶级斗争的理论，阶级斗争根源于不同阶级对生产资料的占有关系以及在生产体系中所占的地位的不同，那么就不仅要通过分析特定时期的所有制的占有状况、生产关系与生产力的适应情况来认识这一时期的阶级斗争的客观必然性，而且还应借助于观察特定时期的所有制的占有状况、生产关系与生产力的适应情况来把握这一时期的阶级斗争的特殊性。既然马克思强调阶级的存在仅仅同生产发展的一定历史阶段相联系，那就说明阶级斗争的存在具有历史性，在不同的历史时期由于生产的发展处于不同的阶段，阶级斗争的存在形式也应各不相同。以邓小平为代表的中共领导人的可贵之处正在于他们不但根据特定时期的所有制的占有状况、生产关系与生产力的适应情况做出了阶级斗争仍然存在的正确判断，而且还依据特定时期的所有制的占有状况、生产关系与生产力的适应情况合理地分析了这一时期的阶级斗争的具体的特殊形式。他们坚持联系生产力、生产关系发展的特定阶段来观察阶级斗争，即坚持对阶级斗争做历史的分析，这样他们就不仅认识到了阶级斗争仍然存在这一“普遍性”，而且还揭示了新的历史时期阶级斗争表现的“特殊性”。

具体地说，中共领导人在新的历史时期在强调“阶级斗争还依然存在”的前提下，根据新的历史时期的新的历史条件又进一步提出阶级斗争已不是主要矛盾，不能“以阶级斗争为纲”，而应当以经济建设为中心。这里充分表现了“普遍性”与“特殊性”的统一。“普遍性”就是在新的历史时期阶级斗争不会“熄灭”，它仍然存在着，它仍然是社会发展的推动力；“特殊性”就是在新的历史时期阶级斗争不再成为主要矛盾，它不能成为“纲”，它不再构成社会发展的主要推动力。

我们上面所引的邓小平的三段话，正是这种“普遍性”与“特殊性”相统一的辩证态度的生动体现。他在 1979 年 3 月 30 日党的理论工作务虚会上的讲话中一方面强调阶级斗争是一个客观存在，另一方面又提出对阶级斗争“不应该缩小，也不应该夸大”，这就是说，对社会主义建设新时期的阶级斗争要有正确的定位，要看到新时期的阶级斗争是不同于以往时期的。他明确地指出：“社会主义社会目前和今后的阶级斗争，显然不同于过去历史上阶级社会的阶级斗争，这也是客观的事实。”他还指出，认识社会主义建设新时期的阶级斗争的新特点，“包括许多理论上和实践上复杂和困难的问题，不是只靠引证前人的书本所能解决的”[68]。1980 年 1 月 16 日邓小平在中共中央召集的干部会议的讲话中，强调的是阶级斗争的存在，以及剥削阶级作为阶级已被消灭，“这两方面都是客观事实”，在这种情况下“必须坚决划清两类不同性质的矛盾的界限”[69]。1980 年 12 月 25 日邓小平在中共中央工作会议上的讲话中强调“阶级斗争确实仍然存在，不可小看”的同时，又指出阶级斗争“已经不是我们社会中的主要矛盾”，应当“有区别地给以坚决处理”。[70] 从邓小平的这一系列的讲话中我们可以充分地领悟到，以邓小平为代表的中共领导人在如何看待阶级斗争的问题上，他们确实没有“只靠引证前人的书本”来解决问题，而是在继承马克思主义阶级斗争理论的基础上，又创造性运用和发展了这一理论，即在确认“阶级斗争还将在一定范围内长期存在，在某种条件下还有可能激化”的同时，强调“阶级斗争已经不是主要矛盾”，必须把工作的重心转移到经济建设上来。中国人民正是在继承、修正和发展马克思主义的阶级斗争理论的过程中开辟了自己独特的发展道路。

其二，在确认仍然存在阶级差别甚至阶级对立的前提下，致力于用和平的即非暴力的手段来解决这些差别和对立。

中国道路的开创者既然认定当今中国阶级斗争还未消失，那么也就必然认可当今中国还存在着阶级差别、阶级矛盾甚至阶级对立。在当今中国，不同的人对生产资料的占有不尽相同，与此相应，不同的人在生产体系中所处的地位也各不相同，这样，这些“不同的人”之间形成差异、矛盾与对立也是十分自然的。这些“不同的人”具有共同利益，但又具有各自的特殊利益，他们的各自特殊利益相互关联而又常常冲突。尽管这种人与人之间的“不同”不会如在资本主义条件下那样“会形成一个公开的完整的阶级的”，即“产生一个资产阶级或其他剥削阶级”，但是这种“不同”会带来人与人之间的差异、矛盾与对立。而所有这些差异、矛盾与对立有些是属于阶级内部的差异、矛盾与对立，即发生在同一个阶级内部，而还有些差异、矛盾与对立则属于阶级之间的差异、矛盾与对立，即发生在阶级与阶级之间。发端于阶级之间的差异、矛盾与对立所带来的冲突当然带有阶级斗争的性质。邓小平清楚地指出：“我们反对阶级斗争扩大化，不认为党内有一个资产阶级，也不认为在社会主义制度下，在确已消灭了剥削阶级和剥削条件之后还会产生一个资产阶级或其他剥削阶级。”但阶级斗争仍然存在，这种阶级斗争“不同于过去历史上的阶级对阶级的斗争（他们不可能形成一个公开的完整的阶级），但仍然是一种特殊形式的阶级斗争，或者说是历史上的阶级斗争在社会主义条件下的特殊形式的遗留”[71]。显然，承认阶级斗争仍然存在与承认阶级差异、阶级矛盾甚至阶级对立仍然存在是完全一致的。

虽然目前在国内的报纸杂志上很少见到对我国客观存在的阶级差异、阶级矛盾甚至阶级对立加以公开的分析，但是还可以不时地发现进行所谓“阶层的分析”。最有影响的是把我国所有的民众分为若干个层次，对各个层次之间的界限作了严格的划分。而实际上，阶层分析是马克思主义的阶级分析的一个组成部分，这种阶层分析实际上就是阶级分析，阶级分析内在地包含着阶层分析。承认我国现阶段存在着各个阶层之间的区别，在一定意义上也等于承认我国现阶段存在着阶级之间的区别。

当今我国存在着阶级差别最集中地体现为劳动与资本之间的差别，或者可以说，我国当前之所以还存在阶级差别主要根源于我国当前还存在着劳动与资本之间的差别。按照马克思的理论，在社会主义条件下，劳动不再是雇佣劳动，劳动力也不再是商品，从而生产资料和货币也不能成为资本，这样，传统意义上的劳动与资本的关系也就失去了存在的前提和基础，也就是说，在社会主义社会中，不可能出现类似资本主义社会中的那种劳动与资本的关系。但现实情况是我们处于社会主义初级阶段，我们实施与这一历史阶段相适应的社会主义市场经济。而只要我们实施社会主义市场经济的体制，就必然要发挥市场在劳动力资源配置、工资形成和劳动力的流动中基础性调节作用，而这就意味着一方面劳动力又成为商品，另一方面生产资料与货币又成为资本。劳动力市场的形成以及雇佣制度化、契约化，这岂不是使传统意义上的劳动与资本之间的雇佣关系又得以成立！尽管我们必须清醒地认识到，中国现阶段的那种劳动与资本的关系，即在社会主义市场经济体制下的那种劳动与资本的关系，与马克思当年所研究的劳动与资本的关系有着本质性的区别，马克思所研究的劳动与资本的关系是建立在生产资料私有制基础上的，它体现的是经无产阶级与资产阶级剥削与被剥削的对抗性的阶级关系，而我们今天面临的劳动与资本的关系，更多地体现一种劳动与资本双方利益的诉求，是在社会主义劳动所有权与资本所有权实现过程中所发生的对立与统一的关系。但不管怎么说，我国当今还存在着资本与劳动的关系这是不争的事实。既然在当前中国还存在着劳动与资本的关系，那么马克思当年从劳动与资本的关系的角度来探索阶级对立的基本思路对我们就有借鉴作用和启示意义，即既然当今中国经济运行过程中存在着资本与劳动之间的对立，那么在生产资料的占有者与劳动力的出卖者在分享劳动成果时出现相互排斥与对抗也是顺理成章的。

我国领导人之所以如此地强调要注意民生，如此地强调要保护劳动者利益，正是以承认在我国存在着劳动与资本之间的差别，以及基于这种差别而存在着的阶级之间的差别为前提的。甚至中国领导人在从事一些日常工作时，在头脑中也常常牵挂着这些差别，并以解决这些差别为宗旨。邓小平在一次座谈会上这样说道："最近我有两次讲话，讲了对坚持社会主义制度、搞好现代化建设的四个保证，第一是体制改革，目前进行机构改革。第二是搞社会主义精神文明……第三是坚决打击经济领域的犯罪活动，或者叫打击经济犯罪分子。第四是党的建设，党的组织和作风的整顿……这四件事情都不能一次搞完，要长期搞下去。我们不搞运动，但是随着四个现代化建设的进程，就要坚持四个保证，一天也不能丢掉，要把它变成一种经常性的工作和斗争。这四件事当中反映出来的一些问题不都是阶级斗争，但有阶级斗争。”[72] 邓小平在这里所阐述的是“四件经常性的工作与斗争”，在邓小平看来，就是从事这些日常工作，也不能忘记它们也与阶级斗争联系在一起，即涉及缓和、消解阶级差异与矛盾。

中国道路的开创者的可贵之处在于不是简单地承认我国还存在着阶级差异、阶级矛盾，甚至阶级对立，而是在此基础上努力探索出解决这种差异、矛盾和对立的新路。中国道路成为建设社会主义的新路，一个重要的方面“新”就新在成功地探索出了一条解决阶级差异、阶级矛盾，甚至阶级对立的新路。

这里所说的“新路”就是不是着眼于用斗争、暴力的手段，即“武斗”的方法来解决阶级差异、矛盾和对立，而是致力于用和平、协调的手段，即“文斗”的方法来缓和这些差异、矛盾和对立。也就是说，对于阶级之间存在的差异、矛盾，甚至对抗不是采用政治运动的群众斗争的形式，而是依靠群众，运用法律武器来解决。不仅在阶级内部的差异、矛盾用“非暴力”的手段来解决，而且即使是集团、阶级之间的差异、矛盾甚至对抗也致力于通过“非暴力”的方式来解决。这里所说的“非暴力”的方式主要是指通过民主、法律制度的健全与完善，通过公民民主意识、法律意识的提高，来解决阶级之间的差异与矛盾，甚至对抗。

“以阶级斗争为纲”的年代在阶级斗争问题上的错误，一方面表现在“阶级斗争理论”运用过了头，强调阶级斗争要年年讲、月月讲、天天讲，信奉阶级斗争一抓就灵，夸大了社会主义时期在一定范围内存在的阶级斗争的程度，另一方面还表现在片面地把阶级斗争当作就是使用暴力与专政，也就是说，一味地通过暴力、剥夺这些血腥的方式来解决阶级差异、矛盾与对抗。中国道路的开创者在新的历史时期，及时地纠正了在阶级斗争问题上的这些错误，基于处于社会主义初级阶段的具体国情，认定当今中国所有的矛盾不一定都是阶级矛盾，而所有的阶级矛盾不一定都是对抗性矛盾，而即使是对抗性的矛盾也未必要用对抗、暴力的手段来解决。由于中国道路的开辟，中国告别了以群众性阶级斗争解决社会矛盾的时代，与解决社会矛盾相关的事务开始以法律为基础，在法治的范围内进行。邓小平明确地指出，在新的历史时期解决阶级矛盾，进行阶级斗争，“不能采取过去搞政治运动的办法，而要遵循社会主义法制的原则”[73]。他还特别指出：“全党同志和全体干部都要依据宪法、法律、法令办事，学会使用法律武器同反党反社会主义的势力和各种刑事犯罪分子进行斗争。这是现在和今后发展社会主义民主、健全社会主义法制的过程中要求我们必须尽快学会处理的新课题。”[74]把处理阶级斗争的问题，把解决阶级矛盾的问题，同运用法律武器、健全社会主义法制联系起来，并作为指导国家政治生活的一项基本准则，这确实是在新的历史条件下对马克思主义阶级斗争理论的重大发展。

中国道路的开创者把自己所走的道路称为“和平发展”的道路，而把自己所要建立的社会称为“和谐社会”。这里的“和平发展”与“和谐社会”两个概念，既有对外的含义又有对内的含义。对外就是中国道路创造性地把“发展”与“和平”联系在一起，强调只有争取和平的环境才能比较顺利地实现发展，中国道路致力于重塑社会主义与资本主义的关系，把自身发展的大局放到整个世界的和平发展的大局中加以思考，为了获取自己的和平努力使整个世界和平发展。对内就是中国道路面对各种社会矛盾、阶级矛盾，不是采取当年革命党的政治斗争方式，而是适应时代的发展，利用多种方式协调各种社会利益关系，竭力激发社会各阶层、各群体的创造性，在调节各种利益关系的过程中化解矛盾，形成社会发展的全力，通过“和平”的手段构建“和谐的社会”。这样，在当今中国，解决阶级矛盾，进行阶级斗争，不再只是“打打杀杀”，不再导致社会撕裂。

其三，在确认必须坚持人民民主专政的前提下，科学地确定专政的对象和专政的主体的范围。

上面我们提及马克思曾经说过对于阶级斗争理论，他只是在前人的基础上加上了三点“新内容”，他所说的第二、第三点“新内容”就是：“阶级斗争必然导致无产阶级专政”和“这个专政不过是达到消灭一切阶级和进入无阶级社会的过渡”[75]。确实，无产阶级专政是马克思主义阶级斗争理论的核心要义，列宁曾提出，只有既接受阶级斗争理论又认可无产阶级专政的人才能称得上是马克思主义者。中国道路的开创者，既然确认阶级斗争于当今中国在一定范围内还依然存在，那么也就必然强调当今中国必须坚持无产阶级专政，只是无产阶级专政在当今中国在一些场合用“人民民主专政”加以表述，坚持人民民主专政就是坚持无产阶级专政。邓小平这样解释道，“毛泽东同志说过，对于人民内部的民主方面和对反动派的专政方面，就是人民民主专政，这实质上也就是无产阶级专政，但是人民民主专政的提法更适合于我们的国情”。

中国道路的开创者把坚持人民民主专政作为必须要坚持的四项基本原则之一。四项基本原则是邓小平提出来的，他强调，“坚持人民民主专政这一条不低于其他三个”。他在1979年3月30日的党的理论工作务虚会上的讲话中指出：“我们必须坚持无产阶级专政。我们已经作了大量的宣传，说明无产阶级专政对于人民来说就是社会主义民主，是工人、农民、知识分子和其他劳动者所共同享受的民主，是历史上最广泛的民主……在阶级斗争存在的条件下，在帝国主义、霸权主义存在的条件下，不可能设想国家的专政职能的消亡，不可能设想常备军、公安机关、法庭、监狱等等的消亡。它们的存在同社会主义国家的民主化并不矛盾，它们的正确有效的工作不是妨碍而是保证社会主义国家的民主化。事实上，没有无产阶级专政，我们不可能保卫从而也不可能建设社会主义。”[76]10多年以后，他在1991年视察南方的讲话中则进一步指出：“依靠无产阶级专政保卫社会主义制度，这是马克思主义的一个基本观点。……历史经验证明，刚刚掌握政权的新兴阶级，一般来说，总是弱于敌对阶级的力量，因此要用专政的手段来巩固政权。对人民实行民主，对敌人实行专政，这就是人民民主专政。运用人民民主专政的力量，巩固人民的政权，是正义的事情，没有什么输理的地方。”[77]

坚持人民民主专政已经写进了中国的宪法。宪法规定：中华人民共和国是工人阶级领导的、以工农联盟为基础的人民民主专政的社会主义国家。按照宪法，人民民主专政大致包括以下五个方面的含义：1. 工人阶级（通过共产党）为领导，而不是其他阶级、政党领导，更不是多党领导、搞多党制；2. 以工农联盟为基础，而不是实施“多元主义”；3. 人民民主，即一切权力属于人民，而人民包括全体社会主义劳动者、拥护社会主义的爱国者和拥护祖国统一的爱国者，不是属于某一利益集团，更不容许外国人干涉；4. 对一切反社会主义分子和一切分裂祖国的分子实行专政，不搞“仁政”；5. 社会主义制度是中华人民共和国的根本制度，禁止任何组织或个人破坏社会主义制度。[78]

中国道路的开创者在新的历史时期把坚持人民民主专政与坚持改革开放有机地统一在一起。他们一方面通过坚持改革开放为人民民主专政提供坚实的物质基础，使我们的国体牢牢地矗立在强大的经济社会发展根基上，另一方面又通过坚持人民民主专政为改革开放保驾护航，使中国特色社会主义事业始终沿着正确的方向、道路不断向前推进。他们使两者有机地统一在中国特色社会主义事业之中，统一于实现民族伟大复兴中国梦的历史进程之中。坚持人民民主专政，也坚持改革开放共同构成中国共产党在社会主义初级阶段基本路线的重要组成部分，也共同构成中国特色社会主义道路的重要组成部分。[79] 纵观从邓小平到习近平的中国共产党的几代领导人的讲话我们可以看到，他们总是那么强烈地强调改革开放的重要性，与此同时，又是那么强烈地重视坚持人民民主专政，他们总是把“不改革开放就没有出路”与“人民民主专政不能丢”并列在一起。在 20 世纪 70 年代末 80 年代初中国开始走上中国特色社会主义道路之时是如此，在中国特色社会主义道路已经取得伟大的胜利进入新的发展时期的 21 世纪的头 15 年也是这样。

中国特色社会主义是在坚持人民民主专政，即坚持对人民实行民主、对敌人实行专政的过程中不断地开辟自己道路的，这一点确信无疑。这又从一个方面充分体现了中国道路的开创者对马克思主义阶级斗争理论的继承。中国道路的开创者在坚持人民民主专政问题上对马克思主义的阶级斗争理论的创新与发展则表现在根据新的历史时期中国的国情，不断地确定和调整作为专政的主体的“人民”，以及作为专政的对象的“敌人”的范围，最大限度地扩大“人民”的范围，又最大限度地缩小“敌人”的范围，让尽可能多的人享受社会主义民主，与此同时，又尽可能地把最少部分的人列入“人民”的对立面。

毛泽东说，谁是我们的朋友，谁是我们的敌人，这是革命的首要问题。这当然也是实现中华民族的伟大复兴、建设中国特色社会主义的首要问题。中国道路的开创者没有根据“书本”来确定谁是朋友，谁是敌人。阅读邓小平和其他中国领导人的著作，给人的强烈印象是一方面他们在任何时候总是把认识我们究竟依靠谁、代表谁、服务谁，以及打击谁、孤立谁这一问题放在首位，另一方面又总是根据当今中国社会的现实来区分敌我。根据这些领导人的阐述，人民与敌人的含义似乎十分复杂，但实际上又是那么简单。只要他拥护中国特色社会主义制度，拥护人民民主专政，只要他拥护由社会主义的制度和人民民主专政所演绎的法律体系，只要他热爱我们的国家和民族，只要他遵守社会主义的精神文明和道德文明，他就是一个人民，就可属于人民的群体，反之则是人民的对立面。按照这一标准，在当今中国，人民确实占到了总人口的绝大多数，人民的对立面则是绝对少数，而且前者呈进一步扩大，后者呈进一步缩小的趋势。

邓小平在阐述需要加以专政的对象时指出：“我们必须看到，在社会主义社会，仍然有反革命分子，有敌特分子，有各种破坏社会主义秩序的刑事犯罪分子和其他坏分子，有贪污盗窃、投机倒把和新剥削分子，并且这种现象在长时期内不可能完全消灭。……对于这些反社会主义的分子仍然必须实行专政。不对他们专政就不可能有社会主义民主。这种专政是国内斗争，有些同时也是国际斗争，两者实际上是不可分的。”[80] 邓小平在这里明确地把反革命分子、敌特分子、各种破坏社会主义秩序的刑事犯罪分子和其他坏分子、贪污盗窃、投机倒把和新剥削分子列为专政的对象。江泽民也指出："对国际敌对势力的渗透、破坏活动，对敌对分子颠覆中国共产党的领导和社会主义制度的图谋，对民族分裂分子势力的分裂活动，对暴力恐怖活动，对严重危害人民群众生命财产安全的严重刑事犯罪，对残害人民生命和危害国家政权的邪教，对严重危害人民利益的腐败现象等，我们必须依法坚决予以防范和打击，用人民民主专政来维护人民政权，维护人民的根本利益。在这个问题上，要理直气壮。我们社会主义政权的专政力量不但不能削弱，还要加强。在这个问题上，切不可书生气十足。"[81] 江泽民在这里对需要专政的敌人的确定与邓小平大致相同，只是进一步强调了必须对民族分裂分子、恐怖分子、残害生命和危害国家政权的邪教分子实行专政。

对于"人民"，中国共产党的领导者所做的是根据当今中国经济结构的变化不断拓宽其范围。邓小平早在1979年就指出，新中国成立以后，"在这三十年中，我国的社会经济状况发生了根本的变化。我国工人阶级的地位已经大大加强，我国农民已经是由二十多年历史的集体农民。……我国广大的知识分子，包括从旧社会过来的老知识分子的绝大多数，已经成为工人阶级的一部分，正在努力自觉地为社会主义事业服务。……我国的资本家阶级原来占有的生产资料已转到国家手中，定息也已停止十三年之久。他们中有劳动能力的绝大多数人已经改造成为社会主义社会中的自食其力的劳动者。……资本家阶级中的进步分子和大多数人在接受改造方面也起了有益的配合作用。现在，他们作为劳动者，正在为社会主义现代化建设事业贡献力量。”[82] 邓小平在这里不但深刻地论述了何以包括从旧社会过来的知识分子已经成为工人阶级的一部分，从而也已成了专政的主体的一个重要组成部分，而且也富有说服力地说明了资本家阶级从总体上也可列入人民的范围的理由。

我国的社会阶层结构随着改革开放的深入，又发生了新的变化。这主要表现在涌现了一批批民营科技企业的创业人员和技术人员、私营企业主和个体户，还有人数众多的受聘外资企业的管理技术人员、中介组织的从业人员、自由职业人员等。如何看待这些新的社会阶层？究竟能否把他们与工人、农民、知识分子等并列在一起都视为“人民”，都视为中国特色社会主义事业的建设者？[83] 江泽民及时地做出分析说：“在这种情况下，不能简单地把有没有财产、有多少财产当作判断人们政治上先进与落后的标准，而主要应该看他们的思想政治状况和现实表现，看他们的财产是如何得来的以及财产怎么支配和使用，看他们以自己的劳动对建设有中国特色社会主义事业所作的贡献。”[84] 江泽民实际上在这里已明确地把所有这些人员都当作是“人民”的组成部分。不是用有没有财产，以及财产的多少来确定究竟是属于人民还是人民的对立面，是人民民主专政的主体还是对象，这确实是在新的历史条件下对马克思主义阶级斗争理论的重大发展。由于不把有产者视为就是剥削者，就必然与广大劳动人民相对立，从而就大大地拓宽了当今中国的“人民”的范围和大大缩小了“敌人”的范围。

第三，处于社会主义初级阶段的中国人民，如何在《共产党宣言》的“两个必然”的思想，即《共产党宣言》向全世界所做出的宣告“资产阶级的灭亡和无产阶级的胜利是同样不可避免的”指引下，提高自己的共产主义信念。

我们现在处于社会主义初级阶段，我们现在所做的一切应当与“社会主义初级阶段”这一历史背景相符合。显然在“社会主义初级阶段”所做的许多事情，特别是在经济领域所做的一切，用马克思所说的社会主义、共产主义的标准相对照，是那么格格不入，而与资本主义一对比，又是如此相似。在这样一种历史背景下，特别需要学习与把握《共产党宣言》的基本理论。《共产党宣言》之所以让无产阶级深受鼓舞而使无产阶级的敌人感到恐惧就是因为它庄严地向全人类宣告：资产阶级的灭亡和无产阶级的胜利是同样不可避免的。《共产党宣言》鞭辟入里地揭示出：资本主义一定要灭亡，共产主义一定要胜利，这是人类社会发展的客观规律，是任何力量也阻挡不住的。处于“社会主义初级阶段”的中国人民务必要牢记马克思为人类所揭示的资本主义一定要灭亡、共产主义一定要胜利这一历史发展的客观规律，或者说，一定不能放弃马克思为人类所指引的实现共产主义这一崇高理想。只有这样，才能把目前所做的与“社会主义初级阶段”相符合的事，不是与资本主义联系在一起，而是引向社会主义、共产主义的大方向。只要我们胸中有了《共产党宣言》，我们就会自觉地领悟我们所说的“初级阶段”是“社会主义”的“初级阶段”而不是其他什么社会的“初级阶段”，我们一方面不能超越这一“初级阶段”，把将来要做的事放到现在来做，另一方面我们不能永远停留在这一“初级阶段”，要把现在所做的一切视为进入“高一阶级”的必要准备。尽管共产主义离我们现在是那么遥远，尽管共产主义的实现不是一朝一夕之功，但共产主义决不是什么虚无缥缈的、可望而不可即的东西，我们当下所做的一切正在一步一步地走向这一目标。我们不应当因为共产主义的真正实现离现在还很遥远从而就否定这一目标的存在，更不应当把眼前所做的与实现这一目标完全割裂开来。

对此，列宁有一个非常生动的比喻。他说，从事无产阶级革命事业，就犹如“我们想攀登一座崎岖险阻、未经勘察、人迹未到的高山”，因此，“有时要迂回前进，有时要向后转，放弃已经选定的方向而试探着从不同的方向走”。[85] 他强调，拒绝这样做是愚蠢的，是“左派”幼稚病。最重要的在于，必须明确这样做的目的完全是为了“登上山顶”，而不是放弃“登山”。观察我们目前所做的一些事，在某种意义上实际上我们正在“放弃已经选定的方向而试探着从不同的方向走”，正在“迂回前进”，甚至正在“向后转”，但我们必须如列宁所说的那样明白，我们这样做决不意味着放弃了“登山”，而只是为了通过“迂回”“向后转”的方法，更好更快地登上顶峰，即更好更快地走向共产主义。

现实非常清楚地告诉我们，那些一心想把中国引向资本主义方向，从而使中国重新成为西方资本主义的附庸的人，千方百计地抹杀“初级阶段”的社会主义指向，他们总是把作为社会主义社会的自我完善的“改革”纳入资本主义的轨道，他们总是百般地嘲笑历史发展的客观规律和共产主义的信仰。在这种情况下，要使这些人的这种意图不能得逞，唯一的途径就是在坚持共产主义的信仰的前提下来做与“社会主义初级阶段”相符合的事情。实际上，做与“社会主义初级阶段”相符合的事情，有没有社会主义、共产主义这一指向，头脑中有没有历史发展客观规律这一信念，其结果是大相径庭的。如果我们确实是想用马克思主义来指导我们当下的实际活动，那么我们所要做的最重要的事情就是揭示我们目前所做的一切与共产主义目标之间的真实关系。显然，在当今的历史阶段，坚信马克思和恩格斯在《共产党宣言》中为人类所揭示的历史发展客观规律，坚持马克思和恩格斯在《共产党宣言》中所树立的共产主义的崇高信仰，实际上比以往任何时候都来得重要和迫切。

要真正认识坚守社会主义理想在当今中国的意义，当然首先得明确理想、信念对当今中国的重要性。在当今中国每天所发生的事情都在昭示中国人民：精神上的“崩盘”要比金钱上的“崩盘”可怕得多。当今中国所出现的所有问题，都是与丢失信念有关，而缺失理想所带来的后果比生产力落后所造成的后果更为严重。我们原先知道，一个国家和民族，没有先进的生产力和科学技术，那么它是经不起“打”的，一“打”就垮，现在我们更知道，一个国家和民族，没有理想信念，那就不是经得起“打”和经不起“打”的问题，而是，不“打”也垮。如果当今的中国人失去了崇高的信仰，而是“一切向钱看”，那么中国人实际上也就丧失了自己活动的终极依据和全部生存的意义。中华民族向来具有追求理想和信奉崇高的传统，如果把这一传统丢弃了，那么也就意味着当今中国人已成了中华民族的不肖子孙。信仰可以使灵魂有所归依，信念令心灵更加坚强有力，对一个具体的人是这样，对一个民族也是如此。当今中国如果没有了理想、信念，我们还用什么来凝聚人心，以形成建设中国特色社会主义的“共识”和“共同意志”？如果没有了理想、信念，我们还用什么作为“价值导向”，以调控社会秩序？如果没有了理想、信念，我们还用什么作为精神依托，以给广大人民群众未来和希望，给建设中国特色社会主义提供源源不绝的精神力量？

说服一些人认可当今中国必须要有理想可能还比较容易，最困难的在于说服他们当今中国必须坚守社会主义的理想。一些人即使也在那里大谈理想、信念的重要性，但他们所讲的理想、信念不是社会主义理想、信念，他们甚至在宣传理想、信念对当今中国之意义时，特地强调他们所说的理想、信念与社会主义理想、信念风马牛不相及。这样说来，仅仅阐述清楚理想、信念对当今中国之意义还是不够的，还要进一步说明白我们所说的理想、信念就是指社会主义理想、信念。这就是《共产党宣言》在当今中国的现实意义之所在。

我们必须反那些否定社会主义理想、信念的人而行之，就是要把社会主义理想、信念从其他各种信仰中凸显出来，划清它们之间的界限，充分认识它才是立志要振兴中华民族、前进在中国特色社会主义大道上的中国人民的真正的精神支柱。我们必须明确，不是任何信仰都适合于当今中国，不是任何信仰在当今中国都是上面所说的能为建设中国特色社会主义提供原动力的精神支柱，只有社会主义的理想、信念才具有这样的功能。《共产党宣言》告诉我们，社会主义、共产主义的理想是以马克思主义作为理论依据的，而马克思主义是迄今为止人类思想智慧的最高境界，它揭示了人类社会的本质和规律，马克思主义的一个重大意义就在于为人类确立了社会主义、共产主义这一崇高的理想。社会主义、共产主义的绝对目标是建立在客观的历史规律基础上的，社会主义、共产主义的内蕴是马克思主义的唯物史观释放出来的。尽管马克思主义学说的其他内容因遭到这样那样的指责而显得暗淡起来，但马克思主义对社会主义、共产主义这一人类理想的论证，依然闪耀着真理的光芒。从而尽管人们对马克思主义的其他内容提出了铺天盖地的批评，但对马克思主义的这一方面的理论仍然持敬畏态度。当今中国人民对马克思主义的“需要”是与对社会主义信仰的“需要”紧紧联系在一起的。社会主义理想既不同于各种宗教信仰，因为它不是以超自然的存在为前提，不把人生的终极意义寄托在彼岸世界；它也不同于“空想社会主义”，因为它不仅看到了资本主义必然灭亡的命运，而且也揭示了资本主义必然灭亡的经济根源以及找到了推翻资本主义的社会力量和现实道路。

显然，共产主义只是许多绝对目标中的一种，以共产主义为奋斗目标的理想主义只是许多理想主义中的一种。那为什么我们一定要以共产主义作为自己的绝对目标呢？为什么一定要把自己的理想主义建立在以共产主义作为自己的绝对目标的基础之上呢？为什么一定要使自己的生命活动通过为共产主义奋斗而获得意义呢？这正是马克思的理论，特别是马克思的唯物史观所要告诉我们的道理。马克思的唯物史观不但使我们知道必须当个理想主义者，而且又使我们知道必须当个以共产主义作为自己的绝对目标的革命的理想主义者，也就是说，必须把自己的理想确立为实现共产主义。共产主义以外的其他的绝对目标和理想，都是把自身引向他在、彼岸世界的绝对目标和理想，用马克思的话来说，这种绝对目标和理想都只是在表达“那些还没有获得自己或是再度丧失了自己的人的自我意识和自我感觉”[86]。这种绝对目标和理想只是表明在人的本质没有真实的现实性时把人的本质变成了幻想的现实性，只是表明当人在现实活动中不是以成就自我、实现生存的意义而向“他在”乞求自我肯定与确证。由于这种自我肯定和确证是虚幻的，所以这种作为“他在”的绝对目标和理想只是意义的空无的填充物，它的作用只是遮蔽和否定真实的自我。[87] 从某种意义上说，一个没有绝对目标和理想的人是一个破碎的人，是一个非人，而一个只具有这些只能把自己引向他在的绝对目标和理想的人，同样是一个破碎的人，是一个非人。由于共产主义的绝对目标是建立在客观的历史规律基础上的，由于共产主义的内蕴是唯物史观释放出来的，所以共产主义的目标不会把我们引向他在，不会把人的本质变成幻想的现实性。共产主义的目标具有真实的现实性，以共产主义作为自己奋斗目标的理想主义者，既是理想主义者，同时又是现实主义者。

任何时候我们必须牢记：社会主义理想是科学，信仰社会主义就是信仰科学。我们要把社会主义理想建立在对科学理论的理性认同上、对历史规律的正确认识上、对基本国情的准确把握上。只要我们牢记了这一点，我们就不会否定《共产党宣言》在当今中国的意义。

第四，建设中国特色社会主义，如何贯彻《共产党宣言》的“两个彻底决裂”的思想，即《共产党宣言》所指出的：“共产主义革命就是同传统的所有制关系实行最彻底的决裂；毫不奇怪，它在自己的发展进程中要同传统的观念实行最彻底的决裂”。

《共产党宣言》把消灭传统的所有制，即私有制，建立社会主义公有制当作社会主义区别于其他社会的一个本质特征。《共产党宣言》论述社会主义、共产主义社会的主要特征时完全是着眼于所有制的形式，而不是侈谈什么“全人类的共同价值”。马克思和恩格斯指出，共产党人在反对现存资本主义社会的所有运动中，“都强调所有制问题是运动的基本问题，不管这个问题的发展程度怎样”[88]。如果中国特色社会主义像某些人所说的那样，已摆脱了“传统社会主义”的束缚，主张不需要坚持公有制，已用“公平”等价值目标来界定社会主义，取代了用以公有制为核心的“经济制度”来界定社会主义，那么中国特色社会主义确实已离开了科学社会主义而走向了民主社会主义。但实际情况绝非如此，只要我们具体地观察一下中国特色社会主义的理论和实践，可以清楚地看到：其一，中国特色社会主义不是用“公平”等价值目标，而是用“经济制度”来界定社会主义；其二，中国特色社会主义并没有放弃社会主义公有制的主体地位而代之以各种私有制。对于中国特色社会主义必须坚持公有制这一点，邓小平是讲得十分清楚的。他说：“过去行之有效的东西，我们必须坚持，特别是根本制度，社会主义制度，社会主义公有制，那是不能动摇的。”[89] 党中央、国务院非常明确地规定我国目前是“以公有制为主体、多种所有制经济共同发展”。这里的意思十分明确：我国目前的所有制仍然是以公有制为主体，与此同时，我国允许包括私有制在内的其他形式的所有制的存在。在实施改革开放之前，我国所推行的是单一的公有制形式，由于这不符合“社会主义初级阶段”这一国情，从而阻碍了经济的发展。我国从单一的公有制转变为“以公有制为主体多种所有制经济形式共同发展”，现在又提出“混合所有制”，这是顺应客观现实的举措。问题在于，有些人把这一转变简单地理解为是公有制向私有制的转变。他们对目前党中央、国务院对当今所有制所作出的规定中的“以公有制为主体”百般不顺眼，朝思暮想要把它拿掉。一时无法去掉，他们就自我安慰说：现在只是出于策略上的考虑还强调这一点，实际上中国正大步走向私有化，“以公有制为主体”的字眼是早晚要去掉的。那么，当今中国在强调各种所有制形式共存的同时要不要坚持“以公有制为主体”？中国的所有制的发展是否最后以单纯的公有制为归宿？当今中国承认私有制的存在有其某种意义上的合法性与合理性是不是意味着共产党就认可了私有制？公有制与私有制从终极价值取向的意义上究竟孰优孰劣？中国人民在对这些问题做出回答时，应当认真地请教《共产党宣言》。任何人都无法否定，《共产党宣言》在所有制问题上的态度是坚定不移、毫不含糊的。对马克思和恩格斯在《共产党宣言》中以唯物史观为武器对人类社会必然要用公有制来取代私有制的论证，至今读起来还是那么地令人心悦诚服。消灭私有制这一历史使命共产党人是无论如何不能放弃的，如果不以消灭私有制为已任，还要共产党人干什么，或者说共产党人不以消灭私有制为已任，还称得上是共产党人吗？必须明确，我们今天允许私有制在当今中国的存在，允许它在一定的范围内的发展，在一定意义上是为了将来更好地消灭它。在改革开放之前，我们坚持公有制这本身并没有过错，错就错在没有认识到用公有制取代私有制是一个漫长的历史过程，而并不能一蹴而就，错就错在不能离开具体国情和生产力的发展状况来谈论消灭私有制。我认为，其一，让市场起决定性作用，不等于让私有制起决定作用；其二，建立混合所有制，不等于建立私有制。

《共产党宣言》关于必须与传统观念相决裂的思想，即“兴无灭资”，兴无产阶级思想，灭资产阶级思想，兴社会主义思想，灭资本主义思想，用社会主义核心价值观念来取代资本主义核心价值观念的思想是十分明确的。

马克思和恩格斯在《共产党宣言》中提出：“每一历史时代的经济生产以及必然由此产生的社会结构，是该时代政治的和精神的历史的基础。”恩格斯强调这是“构成《共产党宣言》核心的基本思想”，实际上这也是整个马克思主义的核心观点。按照这一马克思主义的唯物史观，任何一种理想、价值观念都产生于某种特定的经济关系，都以某种特定的经济关系为基础，都相应于某种特定的经济关系。社会主义核心价值观也不例外，与社会主义核心价值观相对应的经济关系是社会主义的经济关系和经济模式。当在资本主义社会中孕育出社会主义经济关系的萌芽时，这一社会中就有可能在某些人中间出现对社会主义核心价值观的追求，而当资本主义的经济关系被社会主义经济关系所替代时，这种社会主义核心价值观有可能成为整个社会的精神支柱。换句话说，尽管在还没有建立起社会主义经济关系，或者说社会主义经济关系尚不占支配地位的情况下，在一些人中间也可能拥有社会主义核心价值观，但是，当我们把社会主义核心价值观作为整个社会的占统治地位的价值观，使其成为整个社会发展的主要精神动力之时，那么这种社会主义核心价值观就应当有相应的社会主义经济关系作为其基础，它应在现行的经济关系中得到强有力的支持。

我们当今中国的实际情况是，一方面我们要培育和践行社会主义核心价值观，要把社会主义核心价值观作为整个社会发展的主要精神动力；另一方面我们的经济关系又不完全是社会主义的，这样就陷入了社会主义核心价值观在现实的经济关系中得不到强有力的支持的困境。我们的经济关系中存在着大量非社会主义的成分，我们实施的是市场经济，而对处于社会主义初级阶段的当今中国来说，这是完全必需的，并且这种状况在相当长的一个历史时期又不可能改变。须知，没有集体经济就不可能有集体主义，各种形式的非公有制和市场经济不可能滋生出社会主义的理想和价值观念。不用说各种形式的私有制与社会主义核心价值观相对立，市场经济的一些原则实际上也与社会主义核心价值观不相容。社会主义核心价值观绝对不可能仅仅在观念领域靠“思想教育”所能培育出来的。我们千万不能把培育社会主义核心价值观变成一种脱离现实的生产关系的变革的抽象的虚构，只是在道义与虚妄的世界里兜圈子。

中国的执政党中国共产党是无产阶级的政党，无产阶级的政党当然以无产阶级世界观为指导，所以中国共产党推崇大公无私的无产阶级人性是天经地义的。中国的社会制度是社会主义制度，尽管被说成是处于初级阶段的社会主义制度，但事物总得有一个基本的性质，中国社会的基本性质应该是社会主义，我想在市场经济前加上社会主义这一限制词还是具有深刻用意的。社会主义制度的国家提倡集体主义也是理所当然的。中国的战“非典”反映出中国具有深厚的大公无私、舍己为人的人性资源和道德财富，把此简单地归功于中国的文化传统是不公平的，应该说这主要还是由当前中国社会的性质，特别是由当前中国的执政党的性质所决定的。

问题在于，中国的执政党中国共产党目前在中国正领导着中国人民实施市场经济，而市场经济离不开“追求个人利益最大化的经济人”这个“上帝”。这样中国共产党又不可能完全否定唯利是图的资产阶级人性存在的必然性与功能。于是，中国共产党实际上陷入一个两难境地：为了推行市场经济必须肯定“追求个人利益最大化的经济人”的作用，而这又有违于自己政党的性质和宗旨，假如共产党也公开提倡和赞颂唯利是图，那么其性质就彻底改变了。显然共产党是不可能这样做的。

人们清楚地看到，面对这两难境地，某些人已完全不能自拔。个别人甚至放弃了无产阶级世界观、人生观的价值导向，而一头栽进了唯利是图的资产阶级世界观、人生观之中。这可从一些身陷囹圄的腐败分子的各种自述和忏悔中充分看出。说得明确一点，一些领域的价值导向出现偏差。这主要表现在上文所说的把“追求个人利益最大化的经济人”，实际上是把唯利是图的资产阶级人性正面化、普遍化和永恒化。

为了既要坚持无产阶级人性，又要让资产阶级人性在发展市场经济中起着其应当起的作用，作为执政党的共产党当前必须要做的是保持唯利是图的资产阶级人性与大公无私的无产阶级人性之间，亦即保持把国家、民族、家庭、他人利益视为高于个人利益的社会本位主义与将个人的利益视为一切的出发点、目的或依归的个人本位主义之间的合理张力。在市场经济条件下，正确的价值导向应当是在肯定一种在功利追求上有竞争精神的同时，大力倡导具有人类终极关怀精神的人格。

中国道路的开创是要有思想资源的，其中一个重要的思想资源就是中国传统文化。这就说明，中国道路的开创不但没有与传统的中国文化“彻底决裂”，而且还吸收了中国传统文化中一些优秀、合理的成分。考察一下中国道路内在的一系列“精神因子”就不难发现，其中不少是属于中国传统文化的。例如，精神追求与理想信念。中国在精神追求与理想信念方面有着悠久的传统和可贵的品质。中国传统文化中的这种精神追求和理想信念，对于中国古代文明的历史有着不可遮蔽的正面意义和价值，因而在当代中国的改革和社会主义现代化建设中发挥着更加积极的作用。再如，兼收并蓄与推陈出新。这是中国传统文化的又一基本精神特质。中国道路就是中国共产党在改革开放的历史进程中对马克思主义传统、现代西方传统和中国民族或文明传统的兼收并蓄中，在推却计划体制和社会主义传统体制之“陈”，开出社会主义市场经济体制和中国特色社会主义之“新”中开辟出来的。又如，渐进态度与中道精神。中国传统文化的另一基本特质就是渐进、稳妥和中道精神。中国共产党在开创中国的改革、现代化和社会主义事业时显然是秉承了这一精神。中国的改革，以及在中国改革中所形成的“北京共识”和中国道路，与苏联东欧等前社会主义国家秉承“华盛顿共识”所推行的激进或偏激的转轨不同，被世人视为是一种渐进性的、稳妥的改革，所秉承的是根植于其中国传统文化中的中道精神。

中国道路的成功，显然与吸收了中国传统文化中的这些“精神因子”有关。当今国内外许多研究者在探究中国道路何以获得成功之时，往往追溯到对中国传统文化的继承，揭示中国道路与中国传统文化之间的内在联系，这决不是偶然的。随着中国道路的深入推进，中国的高层领导越来越强调要吸收中国传统文化，要让中国传统文化在当今的中国焕发出新的生机和活力，这也是顺理成章的。

中国道路正在重新审视马克思主义关于“与传统观念彻底决裂”的思想。中国道路以自己的成功实践向世人证明：对中国传统文化不能抱“彻底决裂”的态度，而只能辩证地对待。实际上，中国道路探索出了一种对待包括传统文化在内的传统观念的“辩证态度”。这表现在中国道路尽管并没有放弃对传统观念的批判，但中国道路并不认为对传统观念的批判就意味着要不分青红皂白地彻底抛弃传统观念，更不意味着对传统的消亡抱有抽象的、不切实际的幻想，而强调应当历史主义地对待传统观念。另外还表现在中国道路认为传统观念也不是铁板一块的，应当甄别出传统观念中的“精华”和“糟粕”，进而“取其精华，去其糟粕”，达到“古为今用”的目的。对传统的批判相当于文化上的沐浴，但沐浴完成后在倒洗澡水时不能把孩子也倒掉。

中国道路在探索对传统文化的正确态度，即从简单的“彻底决裂”变为“辩证对待”的过程中，还发现在马克思主义的理论体系中，除了有强调要与传统观念“彻底决裂”的鲜明论述之外，还有许多关于“批判地继承”传统观念的言辞，这些言辞既出于马克思主义的创始人马克思和恩格斯之口，也有是列宁和毛泽东的相关论述。马克思这样说道：“人们自己创造自己的历史，但是他们并不是随心所欲地创造，并不是在他们自己选定的条件下创造，而是在直接碰到的、既定的、从过去承继下来的条件下创造。一切已死的先辈们的传统，像梦魇一样纠缠着活人的头脑。”马克思的言下之意是，传统固然是一种消极的东西或历史重负，但它决不会自动退出历史舞台，传统的克服是一个长期的历史过程。列宁曾撰写《我们究竟拒绝什么遗产?》一文，指出:“如果讲到现代人所承受的‘遗产’，那就要区分有两种遗产:一种遗产是一般启蒙者的遗产，是对改革前的一切东西采取绝对敌视态度的人民的遗产，是拥护欧洲理想和广大群众利益的人们的遗产。另一种遗产是民粹派的遗产。”显然，列宁强调对“遗产”要做出具体分析，对前者应持肯定态度，需要拒斥的是后者。毛泽东指出:“中国的长期封建社会中，创造了灿烂的古代文化，清理古代文化的发展过程，剔除其封建性的糟粕，吸收其民主性的精华，是发展民族新文化提高民族自信心的必要条件;但是绝不能无批判地兼收并蓄。必须将古代封建统治阶级的一切腐朽的东西和古代优秀的人民文化即多少带有民主性和革命性的东西区别开来。”毛泽东在这里提出了“去其糟粕，取其精华”，“古为今用”的著名论断。问题在于，长期以来，许多人一讲到马克思主义对待传统观念的态度，马上想到的是《共产党宣言》中“彻底决裂”的论述，而无视上述这些马克思主义要求人们辩证地对待传统观念的言辞。这样，与传统观念“彻底决裂”就成了“主流的”马克思主义对待传统观念的态度。回顾新中国成立以后的数 10 年历史就可知道，这种“彻底决裂”的态度在中国不仅在理论上成为“主流的”，而且在实践上也是居支配地位。中国道路所改变的正是这种“主流的”态度。实际上，中国道路在改变和纠正这种对待传统观念“彻底决裂”的“主流”马克思主义观点的过程，也是把马克思主义的创始人和继承者要求辩证地对待传统观念的相关论述揭示出来的过程。

无疑，马克思主义仍然是中国道路的主要思想资源。中国道路在确立对中国传统文化的正确的态度的过程中，还逐步发现马克思主义不仅有与中国传统文化差异性的一面，还有与中国传统文化亲和性的一面。例如：如两者对人类社会都持一种辩证的、历史主义的态度，都有一种强烈的“天下”意识或“世界历史”意识，从整个世界和全人类的角度看待历史发展观；两者在社会理想层面都试图用“天下文明”“天下一家”“四海之内皆兄弟”或“人类解放”“共产主义”超越或扬弃近代西方的民族—国家。两者都具有较强的“人民性”。中国传统文化注重“民本”，马克思主义则强调“人本”；两者都注重关系或共同体，倡导天下为公、“大一统”，反对过分突出个人权利，反对私有财产的绝对化和永恒化；等等。正因为存在着这些共同点，中国道路有必要也有可能实现马克思主义与中国传统文化的融合，把马克思主义中国化的过程变成吸纳和利用中国优秀传统文化的过程。

第五，如何用《共产党宣言》的建党理论，即《共产党宣言》所强调的这样一个原则：“共产党人不是同其他工人政党相对立的特殊政党。他们没有任何同整个无产阶级的利益不同的利益”，来指导当今中国共产党的建设。

在当今中国，确实存在着企图取消中国共产党的领导，改变中国共产党的性质的倾向。而之所以出现这种危险性与中国这 30 多年的实际历史进程相关。我们总是把中国实施改革开放以来的 30

多年视为“社会大转型”的时期。纵观在这一时期我们所做的一切，毫无疑问包含着一系列属于“补资本主义的课”的内容，也就是说，我们在中国共产党领导下做了许多“补资本主义的课”的事情。正因为如此，一些人力图改变中国共产党的性质，认为中国共产党不再是无产阶级政党，而是代表包括资产阶级在内的整个国民利益的党，有人甚至公开提出将中国共产党改名为“中国人民党”。在他们看来，只有这样才能与中国共产党目前所做的事情相符合。当然，以中国共产党领导中国人民做了许多资本主义的事情为理由来要求改变中国共产党的性质，是完全站不住脚的。毛泽东曾经在其著名的《新民主主义论》中论证了中国的民主革命何以必须要由作为无产阶级政党的中国共产党来领导。毛泽东并没有因为认定当时中国共产党所从事的是民主革命而要求对中国共产党的性质做出改变。看来当今非常有必要像当年毛泽东那样在理论上说清楚为什么“补资本主义的课”必须在中国共产党的领导下进行，为什么即使中国共产党在领导中国人民“补资本主义的课”也并不意味着其性质已根本上改变了。关键在于，如果“补资本主义的课”就意味着走资本主义道路，就意味着中国重新选择了资本主义，那么中国共产党的确应当从其名称到实质都来个改变，不能挂羊头卖狗肉，但倘若我们的“补资本主义的课”是为了更好地走社会主义道路，那么中国共产党从名称到实质都不能改。

尽管取消中国共产党的领导，改变中国共产党的性质的这种理由并不能成立，但事实上这种危险性却在不断增大。看来除了急需在理论上澄清一些模糊认识外，强化中国共产党的自身的建设已刻不容缓。导致威胁中国共产党的领导作用的危险性一方面来自外部别有用心分子和敌对分子的否定与攻击，另一方面也来自其自身内部的机制不健全和腐败。《共产党宣言》之所以成了全世界无产阶级的共同纲领，一个重要原因是它提出了详尽的党建理论。《共产党宣言》作为全世界五大洲各国共产党人公认的总纲，它为各国共产党人提供了完整的党建学说。《共产党宣言》在当今中国的一个重大意义就在于它能成为中国共产党进行自身建设的强大思想武器。中国共产党在今天要真正开展切实有效的自身建设，就必须回到《共产党宣言》的建党原则上来。

具体地说，在《共产党宣言》的党建思想的指引下，我们可从以下方面展开中国共产党自身的建设：

其一，抵制和反对一切削弱中国共产党领导的企图与倾向，加强中国共产党在实现民族振兴中的领导作用。马克思和恩格斯在《共产党宣言》里强调无产阶级必须组织自己的政党即共产党。无产阶级要开展革命斗争之所以必须首先组织自己的政党，这是由无产阶级的地位和任务所决定的。无产阶级由于没有自身的生产资料，往往被无政府的竞争所分散，除了组织起来，没有别的武器。马克思曾经指出："无产阶级在反对有产阶级联合力量的斗争中，只有把自身组织成为与有产阶级建立的一切旧政党不同的、相对立的政党，才能作为一个阶级来行动。""为保证社会革命获得胜利和实现革命的最高目标——消灭阶级，无产阶级这样组织成为政党是必要的。”[90]无产阶级必须组织起自己的政党，贯穿于无产阶级完成自己的历史使命的全过程，而不是仅仅在革命的某一个时期才是必要的。马克思和恩格斯在《共产党宣言》中不仅论述了无产阶级组织起自身的政党的重要性，而且进一步阐述了无产阶级政党即共产党在无产阶级革命斗争中的领导作用是不可替代的。他们强调，在无产阶级革命运动中，共产党是“最坚决的、始终起推动作用的部分”。按照马克思和恩格斯在《共产党宣言》所提出的这一党建原则，当今中国的无产阶级和广大劳动人民在实现民族振兴的过程中，也必须像当年实现民族解放时那样，组织起自己的政党即共产党，充分展现和发挥中国共产党的不可替代的领导作用。

由中国共产党来领导中国人民进行实现民族振兴的伟大事业，这是历史的选择、人民的选择。正如当年中国在实现民族解放的斗争中那样，当今中国在实现民族振兴的征途上，中国共产党的领导作用也是不可替代的。只要我们真正认可这一点，《共产党宣言》相关建党思想就不会过时。

其二，抵制和反对一切改变中国共产党性质的企图和倾向，坚持把中国共产党作为无产阶级政党加以建设。马克思和恩格斯在《共产党宣言》中特别强调共产党是无产阶级的独立的政党，无论是其目标、纲领，还是其政策，都应当表明它是无产阶级性质的政党。马克思和恩格斯特别反对“全民党”的思想。在《共产党宣言》中他们如此强调共产党只能是无产阶级性质的政党，就是为了防止把共产党误解为除了代表无产阶级利益之外，还要代表其他阶级的利益，甚至代表资产阶级的利益。而在以后的岁月中，他们更是为了捍卫共产党作为无产阶级性质的政党的纯洁性展开了不懈的斗争。例如，当伯恩施坦提出要把德国共产党由片面的工人政党改变成为“一切富有仁爱精神的人”的全面的党时，他们当即为此发了一封《通告信》，郑重提出建议：不赞成党是无产阶级性质的党的人应当退党，至少也应当放弃他们的显要职位，不这样，那就是党自己出卖自己。[91] 马克思和恩格斯关于共产党只能是无产阶级性质的政党的思想，对当今中国共产党来说具有特别重要的意义。原因就在于，企图改变中国共产党性质的倾向当今呈越来越强烈的趋势。

其三，让中国共产党真正代表无产阶级和广大劳动人民的利益。马克思和恩格斯在《共产党宣言》中所阐述的党建思想给人留下最深刻印象的是，特别强调共产党人没有任何同整个无产阶级的利益不同的利益。共产党人不提出任何特殊的原则，用以塑造无产阶级的运动。他们强调的是除了忠实地代表无产阶级的利益之外，共产党没有什么自身“特殊的利益”。重温马克思和恩格斯的这一党建思想，对当今的中国共产党人来说大有益处。中国共产党当今所面临的最大的问题可能正在于是否真正代表无产阶级和广大劳动人民的利益，除了无产阶级和广大劳动人民的利益之外是否还存在着自己的“特殊利益”。人民群众对中国共产党的某些人的不满可能也就在这里。尽管中国共产党的一些高层会议反复告诫共产党员，特别是中国共产党的高级干部必须与无产阶级和广大劳动人民的利益相一致，但实际上一些共产党员，特别是一些中国共产党的高级干部搞特权、腐败还是越来越触目惊心。如果照此下去，中国共产党会与无产阶级和广大劳动人民走向对立，它的无产阶级性质会彻底改变。在这种情况下，中国共产党确实特别需要用马克思和恩格斯在《共产党宣言》中关于共产党只能代表无产阶级利益，在无产阶级利益之外没有自身“特殊利益”的思想，认真地审视自己。当今的中国共产党的广大党员，特别是中国共产党的高级领导，一定要把马克思和恩格斯在《共产党宣言》中的下述告诫牢记在心：“过去的一切运动都是少数人的，或者为少数人谋利益的运动。无产阶级的运动是绝大多数人的，为绝大多数人谋利益的独立的运动。”[92]

其四，让中国共产党不仅代表无产阶级和广大劳动人民在“社会主义初级阶段”的“眼前利益”，而且代表无产阶级和广大劳动人民的长远、整体的利益。马克思和恩格斯在《共产党宣言》中两次讲到共产党不仅代表无产阶级革命运动某一阶段、某一时期的利益，而且始终代表无产阶级整个革命运动的利益，讲到共产党人为工人阶级的最近的目的和利益而斗争，但是他们在当前的运动中同时代表运动的未来。马克思和恩格斯的这一思想对当今中国共产党来说，太有针对性了。我们知道，当今中国共产党正在带领中国人民做与“社会主义初级阶段”相符合的事情，中国的无产阶级和广大劳动人民在这一历史阶段有着与这一历史阶段相符的利益，当然中国共产党代表着中国无产阶级和广大劳动人民在这一历史阶段上的利益。问题在于，有些人基于此就把无产阶级和广大劳动人民的眼前利益与长远利益割裂开来，千方百计地促使中国共产党为了无产阶级和广大劳动人民的眼前利益而不顾他们的长远的、整体的利益。伯恩施坦有句名言：运动就是一切，目标是没有的。当年的伯恩施坦曾经力图使工人运动只为争取眼前的利益而斗争，而根本不要去谈论什么远大的目标。他的这一修正主义路线也确实造成了严重的不良后果。一定意义上，在今天的中国，出现了当年伯恩施坦所期望的那种局面。只讲手段不讲目标，只讲眼前不讲长远，是今天的中国共产党必须解决的一个重大问题。《共产党宣言》所阐述的党建思想在这方面有着巨大的启迪作用。我们一定要在《共产党宣言》的相关思想的指引下，使中国共产党把“当前的运动”与“运动的未来”有机地结合在一起。

对这第四点，我们在这里想再详细展开说一说。

当今中国坚守社会主义理想最重要的是要把眼前所做的事与社会主义理想联系在一起，或者说，在实现社会主义、共产主义的崇高目标的境界下完成当下的任务。而一些人反对社会主义理想也主要表现在割裂当下工作与社会主义理想之间联系，认为从事当下的工作没有必要还侈谈什么社会主义理想。

中国走上改革开放的道路是以确认当今中国处于社会主义初级阶段为前提的。邓小平的一个重大历史功绩是正确地认识了中国国情，明确当今中国尚处于社会主义初级阶段。在全面深化改革的新时期，以习近平同志为核心的党中央也一再强调“必须立足于我国长期处于社会主义初级阶段这个最大实际”[93]，也把立足于“这个最大实际”作为全面深化改革的主要依据。习近平总书记要求全党和全国人民，扎扎实实地做好当下每一项工作，取得“接力赛”中当代人这一棒的优异成绩。[94]

关键在于，中国共产党领导中国人民脚踏实地为实现党的现阶段的基本纲领而不懈努力，做好当下的工作，取得“接力赛”中当代人这一棒的优异成绩，并不意味着可以放弃社会主义的理想。但是，在当今中国就是有一些人把当下的工作与社会主义理想割裂开来，力主在当今中国可以不提或者少提社会主义、共产主义的目标。实际上，从现阶段出发，做与现阶段相符合的事，有没有社会主义、共产主义这一更崇高的指向，是不是在实现社会主义、共产主义这一崇高的信仰下做这些事，精神境界是大不相同的，其结果也是大相径庭的。

这里，让我们先回顾一下中国是如何实现民族解放，如何取得新民主主义革命的伟大胜利的。

当中华民族处于三座大山的重压之下，中华民族的一批批热血儿女苦苦地寻求民族解放的道路之际，十月革命一声炮响给中国送来了马克思主义。10来位刚过20岁的年轻人，在浙江嘉兴南湖的一条小船上，成立了中国共产党。他们认定要实现中华民族的解放离不开马克思主义的指引。他们找到了一条道路，这就是把实现中华民族的解放、在中国完成民主革命的任务，与实现社会主义、共产主义的理想结合在一起的道路。毛泽东在《中国革命和中国共产党》《新民主主义论》等著作中，精辟地论述了中国何以必须把完成民族、民主革命与实现社会主义理想结合在一起，中国何以必须在实现社会主义、共产主义这一崇高目标的统率下从事民族、民主的革命。他在《中国革命和中国共产党》一书中提出，一方面当时中国革命的性质是资产阶级民主革命而不是社会主义的革命；另一方面又强调，中国的民主革命具有特殊性，不是一般的民主革命，而是新民主主义革命。他认为中国的民主革命“新”就新在它包含双重性质[95]。在他看来，中国革命实际上“包含着双重任务的”，即“中国革命是包括资产阶级民主革命主义性质的革命（新民主主义革命）和无产阶级社会主义性质的革命，现阶段的革命和将来阶段的革命这样双重任务”[96]。而只有明白了中国革命的双重性质，明白了在中国“民主主义革命是社会主义革命的必要准备，社会主义革命是民主主义革命的必然趋势”这一点，才能理解为什么中国的民主主义革命必须由作为无产阶级政党的中国共产党来领导，也就是说，才能理解中国共产党来领导中国民主革命的合法性究竟在哪里。毛泽东告诫正在完成中国资产阶级民主主义的革命的中国共产党人，“准备在一切必要条件具备的时候把它转变到社会主义革命阶段上去”，“力争社会主义社会和共产主义社会的最后的完成”[97]。他批评“有些幼稚的共产党员，以为我们只有在现阶段的民主主义革命的任务，没有在将来阶段的社会主义革命的任务，或者以为现在的革命或土地革命即是社会主义革命”[98]。他认为中国共产党的伟大与神圣之处就在于在从事当下的民主主义革命的时候牢记实现社会主义、共产主义这一“一切共产主义者的最后目的”，并把完成当下的任务与这一崇高目标联系在一起。

差不多与《中国革命和中国共产党》同时推出的《新民主主义论》则在前者的基础上，更全面、深刻地阐述了中国当时的革命何以是“新民主主义”革命，何以必须在社会主义、共产主义的理想的指引下去完成民主革命的任务。毛泽东首先批评了“‘左’倾激进主义”“迷惑于所谓‘一次革命论’”，“而不知革命有阶段之分，只能由一个革命到另一个革命，无所谓‘毕其功于一役’”[99]。他这样说道：“没有问题，现在革命是第一步，将来要发展到第二步，发展到社会主义。中国也只有进到社会主义时代才是真正幸福的时代。但是现在还不是实行社会主义的时候。中国现在的革命任务是反帝反封建主义的任务，这个任务没有完成以前，社会主义是谈不上的。……我们不是空想家，我们不能离开当前的实际条件。”[100]接着毛泽东就批判了“顽固派”，“顽固派”这样对共产党说：你们既然把社会主义社会制度推到后一阶段去了，你们既然又宣称“三民主义为中国今日之必需，本党愿为其彻底实现而奋斗”，那把共产主义暂时收起好了。即使“顽固派”在这里对共产主义只是说“暂时收起”，毛泽东也绝不同意，他评论说：“这种叫嚣，其本质就是顽固分子们的资产阶级专制主义。但为了客气一点，叫它毫无常识，也是可以的。”[101]在具体论述“顽固派”为什么执意要“收起”共产主义这门旗帜时，毛泽东写下了如下一段著名的话：“共产主义是无产阶级的整个思想体系，同时又是一种新的社会制度。

这种思想体系和社会制度，是区别于任何别的思想体系和任何别的社会制度的，是自有人类历史以来，最完全最进步最革命最合理的。……共产主义的思想体系和社会制度，正以排山倒海之势，雷霆万钧之力，磅礴于全世界，而葆其美妙之青春。中国自有科学的共产主义以来，人们的眼界是提高了，中国革命也改变了面目。中国的民主革命，没有共产主义去指导是决不能成功的，更不必说革命的后一个阶段了。”[102] 毛泽东在这里既赞美了共产主义的思想体系和社会制度，更说明了“中国的民主革命，没有共产主义去指导是决不能成功的”。他反复地告诫正在从事民族、民主革命的中国人民，对于共产主义这面旗帜：“这是‘收起’不得的，一收起，中国就会亡国。现在的世界，依靠共产主义做救星；现在的中国，也正是这样。”[103] 在社会主义、共产主义的思想的指导下去从事民主革命，把完成民主革命的当下任务与实现社会主义、共产主义的目标结合在一起，这就是以毛泽东为代表的中国共产党的老一代领导人为当时的中国革命所制定的基本路线。没有这一基本路线，中国能推翻三座大山、建立新中国吗？中国人民能完成民族、民主革命的任务吗？

中华人民共和国建立以后，特别是在中共十一届三中全会确定工作的重心转移到经济发展上以后，中国人民在实现民族解放的基础上，已进一步自觉地把实现民族振兴作为自己的历史使命。那么，当中国人民把实现民族振兴作为当下的任务以后，是否还需要社会主义、共产主义这面旗帜？历史已证明，中华民族的解放是在马克思主义的旗帜下取得的，那么实现民族的振兴是否可以“收起”这面旗帜？毛泽东认为，没有共产主义的指引，非但民主革命的任务不能完成，而且还会“亡国”，现在是不是也是这样，即非但民族振兴的使命不能履行，而且还会“亡国”，重新沦为“新帝国主义”的附庸？凡是主张当下不提或者少提社会主义、共产主义理想的人，实际上就是反对在社会主义、共产主义思想的指引下去完成民族振兴的历史任务。我们完全可以用当年毛泽东对那些强调既然是从事民主革命，就应当“收起”，起码“暂时收起”共产主义的论调的驳斥，来回击当下那些力主从事民族振兴的中国人民，已没有必要再与社会主义理想联系在一起的“流行观点”。我们更可以用正是由于中国人民遵循了中国共产党所制定的“在社会主义、共产主义的思想的指导下去从事民主革命”的基本路线，才取得了中国民族、民主革命的胜利的不容抹杀的历史事实，来说服当下那些千方百计要“收起”社会主义、共产主义的人。

事实告诉我们，要真正做到把眼前的实际行动与远大的目标结合在一起，要真正让共产党不仅代表人民大众的眼前利益，而且还代表人民大众的长远利益，关键在于不能把这两者看作无论在空间上还是在时间上都不相干的两件事，而应把两者看作融为一体的。这里，有必要转述一下“西方马克思主义”的开创者卢卡奇在《历史与阶级意识》一书中对眼前的行动与目标之间的关系所做出的极为深刻的阐述。

卢卡奇的这一著作着重批判了以伯恩施坦为代表的信奉“运动

就是一切，目标是微不足道的”第二国际的修正主义路线。他坚持马克思主义的总体观，提出必须运用总体观来看待目标与现实行动之间的关系。在他看来，眼前行动与目标之间的关系，实际上就是部分与总体之间的关系，部分不能离开总体而独立存在，眼前的行动不与目标联系在一起也就失去了“现实性”。他这样说道：“只要事实是从它们连贯一致的现实性来理解，从各部分环节与它们在整体中固有的、尚未判明的根源来理解，事实就看来毫不足奇了：我们就能看到那些趋向现实的中心、趋向我们惯常称为最终目标的倾向。”[104]他的意思是说，只要我们用总体性眼光来观察“事实”，我们就会发现，呈现于前的一切“事实”实际上都是“趋向于”“最终目标”的。从这一意义上，“最终目标”决不是“与过程对立的抽象的理想”，它本身就是“真实性和现实性的一个环节”。

基于这样一种理解，他提出对“最终目标”必须消除以下误解：“最终目标不是在某处等待着离开运动和通向运动的道路的无产阶级的‘未来国家’。它不是在日常斗争的紧张中能愉快地被忘怀，只有在与日常操劳呈鲜明对照的星期日布道时才能被记起的情况。它也是用来规范‘现实’过程的一种‘义务’、‘观念’。”[105]卢卡奇在这里所提出的对“最终目标”的这些误解实在太有针对性了，时至今日，不是经常有人把“最终目标”当作离开现实的运动存在于“彼岸世界”的“虚无缥缈”的东西吗？不是常有人认为“最终目标”在日常完全可以不加理睬，在“神圣”的时刻提及一下就可以了？不是不时有人强调“最终目标”实际上是一种强加给现实，力图使现实按照某一方向改变的“观念”吗？

卢卡奇强调，第二国际的修正主义者正因为这样来误解“最终目标”，就必然要无视“最终目标”，必然“把运动和最终目标分开”，而这“是向工人运动的最初阶段的倒退”[106]。无产阶级和广大劳动人民要真正实现对资本主义社会的“革命”，就必须运用马克思主义的总体观，辩证地看待“运动与最终目标之间的关系”，即把“最终目标”理解为“渗透于现实的运动之中”。他进而指出，马克思主义的历史使命在一定意义上就是揭示“当前任务”与“最终目标”之间的关系。在这里，他对什么是马克思主义做出了如下经典的表述：“马克思主义决不是守护传统的卫士，它是指明当前任务与历史过程的总体的关系的永远警觉的预言家。”[107] 马克思曾说过这么一段精辟的话：“人使自身作为类存在物即作为人的存在物实际表现出来……只有通过人类的全部活动、只有作为历史的结果才有可能。”[108] 卢卡奇要求把眼前的一切放到历史的总体去理解，要求把眼前所从事的工作与长远目标联系在一起，是继承了马克思的立场。我们还须指出，卢卡奇强调把眼前所从事的工作与长远目标联系在一起，并不意味着他无视眼前的局部利益，他明确地说，如果无产阶级不想回到“空想主义的初级阶段的话”，“那末就决不能跳过眼前的局部利益”。在卢卡奇看来，问题在于当人们重视眼前的局部利益之时，必须牢记这一点：“眼前的局部利益可能具有双重的功能：或者是通向目标的一步，或者是把目标掩盖起来”。[109] 当然，我们在重视眼前的局部利益之时应当尽量避免出现后一种结果，即“把目标掩盖起来”，而应努力争取前一种结果，即使之成为“通向目标的一步”。他反复指出：“只有把个别因素纳入到对过程的总的考察之中，只有和最终目标联系起来，它（指无产阶级——引者注）才能具体地、有意识地超越资本主义社会，它才是革命的。”[110]

现实与理想、当前任务与最终目标之间的关系，实际上就是眼前利益与长远利益的关系。如果一个政党所代表的不仅是无产阶级和广大劳动人民的眼前利益，而且也代表无产阶级和广大劳动人民的长远利益，那么这就决定这一政党必然会把理想与现实结合在一起，必然在完成当前任务的过程中坚守社会主义的理想。共产党就应当是这样一种政党。

对此，马克思和恩格斯在《共产党宣言》中讲得十分清楚。他们这样说道：“共产党人同其他无产阶级政党不同的地方只是：一方面，在无产者不同的民族的斗争中，共产党人强调和坚持整个无产阶级共同的不分民族的利益；另一方面，在无产阶级和资产阶级的斗争所经历的各个发展阶段上，共产党人始终代表整个运动的利益。”[111]这里他们提出了共产党人与其他无产阶级政党的“不同的地方”，除了强调和坚持整个无产阶级不分民族的共同利益，而不是仅仅强调和坚持某一特定民族的无产阶级的利益之外，就是始终代表无产阶级整个革命运动的利益，而不是仅代表无产阶级革命运动某一阶段、某一时期的利益。他们还指出：“共产党人为工人阶级的最近的目的和利益而斗争，但是他们在当前的运动中同时代表运动的未来。”[112] 在他们看来，共产党人是绝对不会放弃为工人阶级的最近的目的和利益而展开斗争，但与此同时，他们在带领工人阶级进行“当前的运动”的同时，也绝对不会放弃实现工人阶级的根本利益的最终目标。

知道了马克思和恩格斯对作为无产阶级政党的共产党的性质与特征的这一论述，也就不难理解正带领中国人民从事民族振兴的事业的中国共产党人，为什么必须强调要坚守社会主义理想，为什么必须要把从事眼前的工作与实现社会主义的崇高目标联系在一起，为什么在转移到把实现民族振兴作为基本的历史任务以后社会主义这面旗帜仍然“收起不得”。

第六，如何在当今中国用《共产党宣言》的关于人的存在方式的理论，即《共产党宣言》所提出的这样一个富有结论性的命题：“代替那存在着阶级和阶级对立的资产阶级旧社会的，将是这样一个联合体，在那里，每个人的自由发展是一切人的自由发展的条件”，来构建新的人的存在方式，创建新的人类文明。

德国诗人海涅说过：每一时代都有它的重大课题，解决了它就把人类社会向前推进一步。那么人类跨入了21世纪以后它所面临的最大的课题是什么呢？有人说是发展的问题，即人类社会究竟应当如何发展。我认为，还有着比发展更深层的问题，这就是人类究竟如何生活，应当选择什么样的生活方式。实际上，人类社会究竟如何发展取决于究竟如何生活。发展道路的选择实际上是生活方式的选择，一定的生活方式决定了一定的发展模式。

当今世界上许多有识之士都指出，人类不能像现在这样活下去了，人类必须换一种活法。这是基于对当今人类的生活方式的深刻反思所得出的结论。上世纪后半叶以来，整个世界的生活方式开始趋同，大家都过着一种生活，我们可以把它概括为五方面的“主义”：消费主义、个人主义、现实主义、享受主义、科学主义。人类在这五个主义的价值观念下生活。问题在于，其一，这样的生活并不是我们人真正所期望的生活，因为人这样生活表面上是很安乐、幸福，其实依然在痛苦当中生活，或者不那么幸福；其二，退一步说，即使这样的生活确实给人类带来了无穷的幸福，但这样的生活是以消耗大量的资源、能源为前提的，我们已经快达到了地球生态容量的底线，从而我们也不可能再这样生活下去。唯一的出路就在于改变目前人的生活方式，创建一种人的新的存在状态。人类文明的发展确实已到了一个历史的转折点上，如果不对正处于危机之中的那种人类存在方式进行革命，如果不真正创建出属人的生存状态，那么前景堪忧。

前段时期，西方世界有人议论 20 世纪是“美国世纪”，那么 21 世纪有没有可能成为“中国世纪”。在我们看来，即使到了 21 世纪的中期，中国的 GDP 总量超过了美国，还不能说中国已成了全世界的“领头羊”。中国能否在 21 世纪成为全世界标志性的国家，主要看中国在 21 世纪能否在自己古老的大地上率先创建出一种人的新的生活方式和存在状态。中国能否成为 21 世纪全世界标志性的国家，主要取决于人类文明当今主要面临什么样的问题，而中国是否对破解人类文明的这一难题做出了决定性的贡献。显然，当今人类文明所面临的挑战主要不是如何进一步增加 GDP 的问题，而是如何改变发展方式，如何改变人的生活方式的问题，在这种情况下，如果把中国对人类文明的贡献，仅仅归结为使中国成为世界第二大经济体乃至第一大经济体，那么对这种贡献的意义的认识肯定是肤浅的。当今世界对中国的渴求不简单地是 GDP，而主要是开创出一种新的发展方式和人的生活方式。我们现在经常谈论所谓“中国模式”，而所谓“中国模式”的实质就是出现在中国古老大地上的一种新的发展模式，而在这种新的发展模式的背后的是一种新的存在方式，两者结合起来就是一种新的文明样态。我们姑且把这种新的文明称为“X 文明”。

中国人民必须承担起创建新的生活方式的历史重任。问题在于，如何创建新的生活方式？创建新的生活方式需要有正确的理论导引，那么这种理论究竟在哪里？现存的就有，那就是马克思主义，特别是作为马克思主义形成的标志的《共产党宣言》。原先人们总把《共产党宣言》视为只是批判资本主义、宣布资本主义必然走向灭亡的著作，实际上《共产党宣言》在批判资本主义的同时，为人类构建了一个意义世界。马克思和恩格斯正是根据他们头脑中的那个理想的人类意义世界作为价值评判标准，来对资本主义做出裁决的。马克思和恩格斯在批判资本主义的过程中向人类指明了一个前进的目标，告诉了人类究竟应当走向何处。我们不能忽视《共产党宣言》作为指引人类前进的指路明灯的巨大功能。尽管马克思主义学说的其他内容因遭到这样那样的指责而显得暗淡起来，但马克思对人类生存的意义的探讨，对人类“意义世界”、对人类的正确的价值观念的构建，依然闪耀着真理的光芒。从而尽管人们对马克思主义学说的其他内容提出了铺天盖地的批评，但对马克思主义的这一方面的理论依然持敬畏态度（包括那些对马克思主义抱有各种偏见的人）。确实，当今中国人民在创建新的生活方式的征途上只有凭借马克思所揭示的“意义世界”，才能在“一堆乱麻”中理出一个思路，找到自己真正应当通往的方向，知道自己的目标之所在以及为了实现这一目标眼下究竟应该做些什么和如何去做。

马克思和恩格斯在《共产党宣言》中对人类究竟应当如何生活，究竟什么样的生活对人来说才是有意义的提出了两个著名的论断，一是人类社会必须组织成“自由人的联合体”，二是在这个联合体中“每个人的自由发展是一切人的自由发展的条件”。恩格斯在后来特地指出，“再也找不出”比这更合适的用以表述“代替那存在着阶级和阶级对立的资产阶级旧社会”的新社会的主要特征。当今中国人民创建新的生活方式必须紧紧地围绕着马克思和恩格斯的这一基本思路展开。具体地说，必须抓住以下要点。

其一，人应当全面地发展自己，而不是只从某一方面，如仅仅从满足物质需求的方面片面地发展自己。无论是考察《共产党宣言》还是探究马克思和恩格斯的其他著作，都可以知道马克思和恩格斯谈及人究竟如何生活、如何发展时都把重心放在“全面”两字上。不管他们从什么样的角度来规定人的本质，我们所看到的人都是具有无限丰富性的总体的人。这就是说，按照马克思和恩格斯的要求，我们今天创建新的生活方式时首先要做到的是使人的各个方面、各个层次兼容并包地、铢两悉称地、相互协调地得以发展。

其二，人必须充分地享受自由，但这种自由只有通过“联合体”才能实现。马克思和恩格斯在这里提出了“自由人的联合体”的概念，这是一个对人的未来存在模式的总体设计。我们应当用马克思和恩格斯所提出的这一概念的内涵来规范人的自由。一方面，我们不能使联合体吞没个人的自由，联合体是“自由人”的联合体，也就是说，联合体的基点是自由的、现实的个人；另一方面，我们要让个人的自由融入联合体之中，让个人的自由通过联合体来实现。正如马克思所说的：“只有在集体中，个人才能获得全面发展其才能的手段，也就是说，只有在集体中才可能有个人的自由。”[113]

其三，让“每个人的自由发展”成为“一切人的自由发展”的条件与前提。要把握马克思和恩格斯在《共产党宣言》中对人的生命真正获得意义的存在模式的论述，最重要的就是要牢记他们的“每个人的自由发展是一切人的自由发展的条件”这句至理名言。我们一定要像他们所说的那样去做，使每个人的自由发展成为“前提”，而让一切人的自由发展只是个“结果”，永远把实现个人的自由发展视为一切工作的出发点。

创建人的新的生活方式不仅包括改变原先的人与人、人与社会之间的那种对立关系，建立起和谐的新型的人与人、人与社会之间的关系，而且也包括重建人与自然之间的关系，使人与自然之间的相互对立变为相互协调。这就是说，创建人的新的生活方式不仅要在人与人、人与社会之间关系的层面展开，而且也必须在人与自然之间关系的层面进行。不建立起一种完全新型的人与自然之间相互协调关系，人仍然处于与自然的相互对立之中，就不能说一种新的人的生活方式已经形成。在人与自然之间的关系究竟应当是怎样的，以及这种关系究竟如何建立的问题上，《共产党宣言》也为我们提供了明显的启迪。马克思和恩格斯在《共产党宣言》中对未来的真正属人的生活方式的设计，不仅限于人与人、人与社会的关系的方面，而且也包括人与自然的关系的方面。马克思和恩格斯在《共产党宣言》中既揭示了资本主义的资本扩张，又揭示了资本主义的生态扩张；既批判了资本主义的阶级剥削，又批判了资本主义的生态剥削；既抨击了资本主义的经济危机，又抨击了资本主义的生态危机。与此相应，他们在论述共产主义社会的终极目的时既强调了“人与人的和解”，也强调了“人与自然的和解”。他们所说的实现社会和人的全面自由发展，包含着双重的理想，即体现了以实现和谐的社会关系为特征的“社会正义”和以实现和谐的社会关系为特征的“生态正义”的有机统一。[114] 正如生态马克思主义者J.B.福斯特所指出的，正是在《共产党宣言》中，马克思和恩格斯已经把关于建立与自然的可持续性关系的思考作为“关于共产主义建设论证的一个重要组成部分”[115]。实际上，只要认真地阅读一下《共产党宣言》的第二部分，特别是第二部分结尾处关于建立新社会的十点建议，就不难领会马克思和恩格斯当年是如何思考在人与自然之间建立和谐关系的。他们所提出的“把农业与工业结合起来”“把教育同物质生产结合起来”[116]等种种措施中，就体现了他们对建立良性的“人类与自然的新陈代谢”，即建立和谐的人与自然之间关系的追求。当今中国人民已经踏上了建设生态文明的征途，已把建设生态文明、实现人与自然之间的和谐纳入构建一种新的生活方式的伟大实践。无疑，在这方面，《共产党宣言》同样是指引我们胜利前进的旗帜。

注　释

1《列宁全集》第 23 卷，人民出版社中文第 2 版，第 42 页。
2《马克思恩格斯文集》第三卷，人民出版社 2009 年版，第 545 页。
3《毛泽东选集》第一卷，人民出版社 1966 年版，第 275 页。
4《马克思恩格斯全集》第 3 卷，人民出版社中文第 2 版，第 390 页。
5《马克思恩格斯全集》第 44 卷，人民出版社中文第 2 版，第 24 页。
6《马克思恩格斯全集》第 31 卷，人民出版社中文第 1 版，第 543 页。
7《马克思恩格斯全集》第 31 卷，人民出版社中文第 1 版，第 425 页。
8《马克思恩格斯全集》第 40 卷，人民出版社中文第 1 版，第 7 页。
9《马克思恩格斯全集》第 47 卷，人民出版社中文第 2 版，第 501 页。
10《马克思恩格斯选集》第 3 卷，人民出版社 1995 年版，第 685 页。
11《马克思恩格斯选集》第 3 卷，人民出版社 1995 年版，第 681 页。
12《马克思恩格斯选集》第 4 卷，人民出版社 1995 年版，第 547 页。
13《马克思恩格斯全集》第 46 卷（上），人民出版社中文第 1 版，第 306 页。
14《马克思恩格斯全集》第 46 卷（上），人民出版社中文第 1 版，第 388 页。
15《马克思恩格斯选集》第 4 卷，人民出版社 1995 年版，第 251 页。
16《马克思恩格斯选集》第 1 卷，人民出版社 1995 年版，第 776 页。
17《马克思恩格斯选集》第 2 卷，人民出版社 1995 年版，第 108 页。

18《马克思恩格斯选集》第 3 卷，人民出版社 1995 年版，第 314 页。

19《马克思恩格斯选集》第 1 卷，人民出版社 1995 年版，第 462 页。

20《马克思恩格斯选集》第 1 卷，人民出版社 1995 年版，第 98 页。

21《马克思恩格斯选集》第 4 卷，人民出版社 1995 年版，第 730 页。

22《马克思恩格斯选集》第 1 卷，人民出版社 1995 年版，第 217 页。

23《马克思恩格斯选集》第 1 卷，人民出版社 1995 年版，第 85 页。

24《马克思恩格斯全集》第 2 卷，人民出版社中文第 1 版，第 626 页。

25《马克思恩格斯全集》第 42 卷，人民出版社中文第 1 版，第 373 页。

26《马克思恩格斯全集》第 44 卷，人民出版社中文第 2 版，第 683 页。

27《马克思恩格斯选集》第 3 卷，人民出版社 1995 年版，第 456 页。

28《马克思恩格斯选集》第 3 卷，人民出版社 1995 年版，第 760 页。

29《马克思恩格斯选集》第 3 卷，人民出版社 1995 年版，第 644 页。

30《马克思恩格斯全集》第 30 卷，人民出版社中文第 2 版，第 107—108 页。

31《马克思恩格斯选集》第 3 卷，人民出版社 1995 年版，第 342 页。

32《马克思恩格斯选集》第 1 卷，人民出版社 1995 年版，第 194 页。

33《马克思恩格斯选集》第 3 卷，人民出版社 1995 年版，第 52 页。

34《列宁选集》第 3 卷，人民出版社 1995 年版，第 142 页。

35《马克思恩格斯选集》第 4 卷，人民出版社 1995 年版，第 681 页。

36 参见《马克思恩格斯全集》第 3 卷，人民出版社中文第 1 版，第 462—465 页。

37 参见高放：《开启真理宝库的七把钥匙——研读〈共产党宣言〉感悟七篇序言》，《中国浦东干部学院学报》2010 年第 5 期。

38 参见安启念：《〈共产党宣言〉是以往人类精神财富的集中体现》，《中国社会科学报》2010 年 8 月 17 日。

39《马克思恩格斯选集》第 2 卷，人民出版社 1995 年版，第 33 页。

40 参见杨耕：《关于马克思主义“两个必然”理论的再思考》，《哲学研究》2001 年第 5 期。

41《马克思恩格斯全集》第 25 卷，人民出版社中文第 1 版，第 278 页。

42 参见王伟光：《运用马克思主义立场、观点和方法，科学认识美国金融危机的本质和原因——重读〈资本论〉和〈帝国主义论〉》,《马克思主义研究》2009 年第 9 期。
43《马克思恩格斯文集》第 7 卷，人民出版社 2009 年版，第 555 页。
44 参见陈之骅:《从苏共亡党的教训看〈共产党宣言〉的当代价值》,《中国社会科学报》2010 年 8 月 17 日。
45 陈先达:《〈共产党宣言〉的当代价值》,《教学与研究》1998 年第 2 期。
46《邓小平文选》第三卷，人民出版社 1993 年版，第 383 页。
47 习近平:《决胜全面建成小康社会 夺取新时代中国特色社会主义伟大胜利——在中国共产党第十九次全国代表大会上的报告》，人民出版社 2017 年版，第 1 页。
48 习近平:《决胜全面建成小康社会 夺取新时代中国特色社会主义伟大胜利——在中国共产党第十九次全国代表大会上的报告》，人民出版社 2017 年版，第 7 页。
49 习近平:《决胜全面建成小康社会 夺取新时代中国特色社会主义伟大胜利——在中国共产党第十九次全国代表大会上的报告》，人民出版社 2017 年版，第 9 页。
50 习近平:《决胜全面建成小康社会 夺取新时代中国特色社会主义伟大胜利——在中国共产党第十九次全国代表大会上的报告》，人民出版社 2017 年版，第 13 页。
51 习近平:《决胜全面建成小康社会 夺取新时代中国特色社会主义伟大胜利——在中国共产党第十九次全国代表大会上的报告》，人民出版社 2017 年版，第 23 页。
52 习近平:《决胜全面建成小康社会 夺取新时代中国特色社会主义伟大胜利——在中国共产党第十九次全国代表大会上的报告》，人民出版社 2017 年版，第 15 页。
53《邓小平文选》第 2 卷，人民出版社 1994 年版，第 143 页。
54《邓小平文选》第 2 卷，人民出版社 1994 年版，第 143 页。
55《邓小平文选》第 2 卷，人民出版社 1994 年版，第 143 页。
56《邓小平文选》第 2 卷，人民出版社 1994 年版，第 143 页。

57《邓小平文选》第 3 卷，人民出版社 1993 年版，第 382 页。
58《邓小平文选》第 3 卷，人民出版社 1993 年版，第 382 页。
59《马克思恩格斯文集》第 2 卷，人民出版社 2009 年版，第 31 页。
60《马克思恩格斯文集》第 2 卷，人民出版社 2009 年版，第 31 页。
61《马克思恩格斯选集》第 3 卷，人民出版社 1995 年版，第 685 页。
62《马克思恩格斯选集》第 3 卷，人民出版社 1995 年版，第 681 页。
63《邓小平文选》第 2 卷，人民出版社 1994 年版，第 182 页。
64《邓小平文选》第 2 卷，人民出版社 1994 年版，第 253 页。
65《邓小平文选》第 2 卷，人民出版社 1994 年版，第 370 页。
66《江泽民文选》第 3 卷，人民出版社 2006 年版，第 34 页。
67《马克思恩格斯选集》第 4 卷，人民出版社 1995 年版，第 547 页。
68《邓小平文选》第 2 卷，人民出版社 1994 年版，第 182 页。
69《邓小平文选》第 2 卷，人民出版社 1994 年版，第 253 页。
70《邓小平文选》第 2 卷，人民出版社 1994 年版，第 370 页。
71《邓小平文选》第 2 卷，人民出版社 1994 年版，第 168—169 页。
72《邓小平文选》第 2 卷，人民出版社 1994 年版，第 408—409 页。
73《邓小平文选》第 2 卷，人民出版社 1994 年版，第 371 页。
74《邓小平文选》第 2 卷，人民出版社 1994 年版，第 371 页。
75《马克思恩格斯选集》第 4 卷，人民出版社 1995 年版，第 547 页。
76《邓小平文选》第 2 卷，人民出版社 1994 年版，第 168—169 页。
77《邓小平文选》第 3 卷，人民出版社 1993 年版，第 379 页。
78 参见夏夕烟：《“以阶级斗争为纲”的标签不能乱贴》，中国社会科学报网，2014 年 10 月 6 日。
79 参见王广：《人民民主专政与改革开放相辅相成》，中国社会科学报网，2014 年 10 月 8 日。
80《邓小平文选》第 2 卷，人民出版社 1994 年版，第 169 页。
81《江泽民文选》第 3 卷，人民出版社 2006 年版，第 222—223 页。
82《邓小平文选》第 2 卷，人民出版社 1994 年版，第 185—186 页。
83 参见徐东海等：《从组织阶级斗争到构建社会主义和谐社会》，《科学社会主义》2008年第5期。
84《江泽民文选》第3卷，人民出版社2006年版，第287页。
85《列宁选集》第4卷，人民出版社1972年版，第225页。
86《马克思恩格斯全集》第1卷，人民出版社1972年版，第453页。
87 参见高绍君：《存在论视域中的人的价值》，《湖南文理学院学报》2004年第2期。
88《马克思恩格斯文集》第二卷，人民出版社2009年版，第66页。
89《邓小平文选》第2卷，人民出版社1994年版，第133页。
90《马克思恩格斯选集》第2卷，人民出版社1995年版，第611页。
91 参见《〈共产党宣言的当代价值〉——访中国社会科学院马克思主义研究院特聘研究员周新城》，《马克思主义研究》2008年第3期。
92《马克思恩格斯选集》第2卷，人民出版社1995年版，第42页。
93 参见《中共中央关于全面深化改革若干重大问题的决定》，《求是》2013年第22期。
94 参见《文汇报》2013年8月21日。
95《毛泽东选集》（一卷本），人民出版社1964年第一版，第610页。
96《毛泽东选集》（一卷本），人民出版社1964年第一版，第614页。
97《毛泽东选集》（一卷本），人民出版社1964年第一版，第614页。
98《毛泽东选集》（一卷本），人民出版社1964年第一版，第614页。
99《毛泽东选集》（一卷本），人民出版社1964年第一版，第646页。
100《毛泽东选集》（一卷本），人民出版社1964年第一版，第644页。
101《毛泽东选集》（一卷本），人民出版社1964年第一版，第646页。
102《毛泽东选集》（一卷本），人民出版社1964年第一版，第646—647页。
103《毛泽东选集》（一卷本），人民出版社1964年第一版，第647页。
104 卢卡奇：《历史与阶级意识》，商务印书馆1996年版，第74页。
105 卢卡奇：《历史与阶级意识》，商务印书馆1996年版，第73页。
106 卢卡奇：《历史与阶级意识》，商务印书馆1996年版，第73页。
107 卢卡奇：《历史与阶级意识》，商务印书馆1996年版，第75页。
108《马克思恩格斯全集》第42卷，人民出版社1979年版，第163页。

109 卢卡奇:《历史与阶级意识》，商务印书馆 1996 年版，第 133 页。

110 卢卡奇:《历史与阶级意识》，商务印书馆 1996 年版，第 131 页。

111《马克思恩格斯文集》第 2 卷，人民出版社 2009 年版，第 44 页。

112《马克思恩格斯文集》第 2 卷，人民出版社 2009 年版，第 65 页。

113《马克思恩格斯选集》第 1 卷，人民出版社 1972 年版，第 82 页。

114 参见王建明等:《红色经典的绿色视野——〈共产党宣言〉中的社会正义与生态正义》，《苏州大学学报》（哲学社会科学版）2008 年第 5 期。

115 参见 J.B.Foster: *Marx's Ecology: Materialism and Nature*, Monthly Review Press, 2000, p.140。

116《共产党宣言》，人民出版社 2014 年版，第 50 页。

附　录

共产党宣言*

一个幽灵，共产主义的幽灵，在欧洲游荡。为了对这个幽灵进行神圣的围剿，旧欧洲的一切势力，教皇和沙皇、梅特涅和基佐、法国的激进派和德国的警察，都联合起来了。

有哪一个反对党不被它的当政的敌人骂为共产党呢？又有哪一个反对党不拿共产主义这个罪名去回敬更进步的反对党人和自己的反动敌人呢？

从这一事实中可以得出两个结论：

共产主义已经被欧洲的一切势力公认为一种势力；

现在是共产党人向全世界公开说明自己的观点、自己的目的、自己的意图并且拿党自己的宣言来反驳关于共产主义幽灵的神话的

* 为保持全书体例统一，保证文后注不混淆，删除附录中《共产党宣言》的文后注。

时候了。

为了这个目的，各国共产党人集会于伦敦，拟定了如下的宣言，用英文、法文、德文、意大利文、佛拉芒文和丹麦文公布于世。

一　资产者和无产者①

至今一切社会的历史②都是阶级斗争的历史。

自由民和奴隶、贵族和平民、领主和农奴、行会师傅③和帮工，一句话，压迫者和被压迫者，始终处于相互对立的地位，进行

① 恩格斯在1888年英文版上加了一个注："资产阶级是指占有社会生产资料并使用雇佣劳动的现代资本家阶级。无产阶级是指没有自己的生产资料，因而不得不靠出卖劳动力来维持生活的现代雇佣工人阶级。"——编者注

② 恩格斯在1888年英文版上加了一个注："这是指有**文字**记载的全部历史。在1847年，社会的史前史、成文史以前的社会组织，几乎还没有人知道。后来，哈克斯特豪森发现了俄国的土地公有制，毛勒证明了这种公有制是一切条顿族的历史起源的社会基础，而且人们逐渐发现，农村公社是或者曾经是从印度到爱尔兰的各地社会的原始形态。最后，摩尔根发现了**氏族**的真正本质及其对**部落**的关系，这一卓绝发现把这种原始共产主义社会的内部组织的典型形式揭示出来了。随着这种原始公社的解体，社会开始分裂为各个独特的、终于彼此对立的阶级。关于这个解体过程，我曾经试图在《家庭、私有制和国家的起源》（1886年斯图加特第2版）中加以探讨。"——编者注

③ 恩格斯在1888年英文版上加了一个注："行会师傅就是在行会中享有全权的会员，是行会内部的师傅，而不是行会的首领。"——编者注

不断的、有时隐蔽有时公开的斗争，而每一次斗争的结局都是整个社会受到革命改造或者斗争的各阶级同归于尽。

在过去的各个历史时代，我们几乎到处都可以看到社会完全划分为各个不同的等级，看到社会地位分成多种多样的层次。在古罗马，有贵族、骑士、平民、奴隶，在中世纪，有封建主、臣仆、行会师傅、帮工、农奴，而且几乎在每一个阶级内部又有一些特殊的阶层。

从封建社会的灭亡中产生出来的现代资产阶级社会并没有消灭阶级对立。它只是用新的阶级、新的压迫条件、新的斗争形式代替了旧的。

但是，我们的时代，资产阶级时代，却有一个特点：它使阶级对立简单化了。整个社会日益分裂为两大敌对的阵营，分裂为两大相互直接对立的阶级：资产阶级和无产阶级。

从中世纪的农奴中产生了初期城市的城关市民；从这个市民等级中发展出最初的资产阶级分子。

美洲的发现、绕过非洲的航行，给新兴的资产阶级开辟了新天地。东印度和中国的市场、美洲的殖民化、对殖民地的贸易、交换手段和一般商品的增加，使商业、航海业和工业空前高涨，因而使正在崩溃的封建社会内部的革命因素迅速发展。

以前那种封建的或行会的工业经营方式已经不能满足随着新市场的出现而增加的需求了。工场手工业代替了这种经营方式。行会师傅被工业的中间等级排挤掉了；各种行业组织之间的分工随着各个作坊内部的分工的出现而消失了。

但是，市场总是在扩大，需求总是在增加。甚至工场手工业也不再能满足需要了。于是，蒸汽和机器引起了工业生产的革命。现代大工业代替了工场手工业；工业中的百万富翁、一支一支产业大军的首领、现代资产者，代替了工业的中间等级。

大工业建立了由美洲的发现所准备好的世界市场。世界市场使商业、航海业和陆路交通得到了巨大的发展。这种发展又反过来促进了工业的扩展，同时，随着工业、商业、航海业和铁路的扩展，资产阶级也在同一程度上发展起来，增加自己的资本，把中世纪遗留下来的一切阶级排挤到后面去。

由此可见，现代资产阶级本身是一个长期发展过程的产物，是生产方式和交换方式的一系列变革的产物。

资产阶级的这种发展的每一个阶段，都伴随着相应的政治上的进展①。它在封建主统治下是被压迫的等级，在公社②里是武装的和自治的团体，在一些地方组成独立的城市共和国③，在另一些地方

---

① “相应的政治上的进展”在 1888 年英文版中是“这个阶级的相应的政治上的进展”。——编者注

② 恩格斯在 1888 年英文版上加了一个注：“法国的新兴城市，甚至在它们从封建主手里争得地方自治和‘第三等级’的政治权利以前，就已经称为‘公社’了。一般说来，这里是把英国当做资产阶级经济发展的典型国家，而把法国当做资产阶级政治发展的典型国家。”

恩格斯在 1890 年德文版上加了一个注：“意大利和法国的市民，从他们的封建主手中买得或争得最初的自治权以后，就把自己的城市共同体称为‘公社’。”——编者注

③ 在 1888 年英文版中这里加上了“(例如在意大利和德国)”。——编者注

组成君主国中的纳税的第三等级①；后来，在工场手工业时期，它是等级君主国②或专制君主国中同贵族抗衡的势力，而且是大君主国的主要基础；最后，从大工业和世界市场建立的时候起，它在现代的代议制国家里夺得了独占的政治统治。现代的国家政权不过是管理整个资产阶级的共同事务的委员会罢了。

资产阶级在历史上曾经起过非常革命的作用。

资产阶级在它已经取得了统治的地方把一切封建的、宗法的和田园诗般的关系都破坏了。它无情地斩断了把人们束缚于天然尊长的形形色色的封建羁绊，它使人和人之间除了赤裸裸的利害关系，除了冷酷无情的“现金交易”，就再也没有任何别的联系了。它把宗教虔诚、骑士热忱、小市民伤感这些情感的神圣发作，淹没在利己主义打算的冰水之中。它把人的尊严变成了交换价值，用**一种**没有良心的贸易自由代替了无数特许的和自力挣得的自由。总而言之，它用公开的、无耻的、直接的、露骨的剥削代替了由宗教幻想和政治幻想掩盖着的剥削。

资产阶级抹去了一切向来受人尊崇和令人敬畏的职业的神圣光环。它把医生、律师、教士、诗人和学者变成了它出钱招雇的雇佣劳动者。

资产阶级撕下了罩在家庭关系上的温情脉脉的面纱，把这种关系变成了纯粹的金钱关系。

---

① 在1888年英文版中这里加上了“(例如在法国)”。——编者注

② “等级君主国”在1888年英文版中是“半封建君主国”。——编者注

资产阶级揭示了，在中世纪深受反动派称许的那种人力的野蛮使用，是以极端怠惰作为相应补充的。它第一个证明了，人的活动能够取得什么样的成就。它创造了完全不同于埃及金字塔、罗马水道和哥特式教堂的奇迹；它完成了完全不同于民族大迁徙和十字军征讨的远征。

资产阶级除非对生产工具，从而对生产关系，从而对全部社会关系不断地进行革命，否则就不能生存下去。反之，原封不动地保持旧的生产方式，却是过去的一切工业阶级生存的首要条件。生产的不断变革，一切社会状况不停的动荡，永远的不安定和变动，这就是资产阶级时代不同于过去一切时代的地方。一切固定的僵化的关系以及与之相适应的素被尊崇的观念和见解都被消除了，一切新形成的关系等不到固定下来就陈旧了。一切等级的和固定的东西都烟消云散了，一切神圣的东西都被亵渎了。人们终于不得不用冷静的眼光来看他们的生活地位、他们的相互关系。

不断扩大产品销路的需要，驱使资产阶级奔走于全球各地。它必须到处落户，到处开发，到处建立联系。

资产阶级，由于开拓了世界市场，使一切国家的生产和消费都成为世界性的了。使反动派大为惋惜的是，资产阶级挖掉了工业脚下的民族基础。古老的民族工业被消灭了，并且每天都还在被消灭。它们被新的工业排挤掉了，新的工业的建立已经成为一切文明民族的生命攸关的问题；这些工业所加工的，已经不是本地的原料，而是来自极其遥远的地区的原料；它们的产品不仅供本国消费，而且同时供世界各地消费。旧的、靠本国产品来满足的需要，被新的、要靠极其遥远的国家和地带的产品来满足的需要所代替了。过去那种地方的和民族的自给自足和闭关自守状态，被各民族的各方面的互相往来和各方面的互相依赖所代替了。物质的生产是如此，精神的生产也是如此。各民族的精神产品成了公共的财产。民族的片面性和局限性日益成为不可能，于是由许多种民族的和地方的文学形成了一种世界的文学①。

资产阶级，由于一切生产工具的迅速改进，由于交通的极其便利，把一切民族甚至最野蛮的民族都卷到文明中来了。它的商品的低廉价格，是它用来摧毁一切万里长城、征服野蛮人最顽强的仇外心理的重炮。它迫使一切民族——如果它们不想灭亡的话——采用资产阶级的生产方式；它迫使它们在自己那里推行所谓的文明，即变成资产者。一句话，它按照自己的面貌为自己创造出一个世界。

资产阶级使农村屈服于城市的统治。它创立了巨大的城市，使城市人口比农村人口大大增加起来，因而使很大一部分居民脱离了农村生活的愚昧状态。正像它使农村从属于城市一样，它使未开化和半开化的国家从属于文明的国家，使农民的民族从属于资产阶级的民族，使东方从属于西方。

资产阶级日甚一日地消灭生产资料、财产和人口的分散状态。它使人口密集起来，使生产资料集中起来，使财产聚集在少数人的

---

① “文学”一词德文是“Literatur”，这里泛指科学、艺术、哲学、政治等等方面的著作。——编者注

手里。由此必然产生的结果就是政治的集中。各自独立的、几乎只有同盟关系的、各有不同利益、不同法律、不同政府、不同关税的各个地区，现在已经结合为一个拥有**统一的**政府、**统一的**法律、**统一的**民族阶级利益和**统一的**关税的**统一的**民族。

资产阶级在它的不到一百年的阶级统治中所创造的生产力，比过去一切世代创造的全部生产力还要多，还要大。自然力的征服，机器的采用，化学在工业和农业中的应用，轮船的行驶，铁路的通行，电报的使用，整个整个大陆的开垦，河川的通航，仿佛用法术从地下呼唤出来的大量人口——过去哪一个世纪料想到在社会劳动里蕴藏有这样的生产力呢？

由此可见，资产阶级赖以形成的生产资料和交换手段，是在封建社会里造成的。在这些生产资料和交换手段发展的一定阶段上，封建社会的生产和交换在其中进行的关系，封建的农业和工场手工业组织，一句话，封建的所有制关系，就不再适应已经发展的生产力了。这种关系已经在阻碍生产而不是促进生产了。它变成了束缚生产的桎梏。它必须被炸毁，它已经被炸毁了。

起而代之的是自由竞争以及与自由竞争相适应的社会制度和政治制度、资产阶级的经济统治和政治统治。

现在，我们眼前又进行着类似的运动。资产阶级的生产关系和交换关系，资产阶级的所有制关系，这个曾经仿佛用法术创造了如此庞大的生产资料和交换手段的现代资产阶级社会，现在像一个魔法师一样不能再支配自己用法术呼唤出来的魔鬼了。几十年来的工业和商业的历史，只不过是现代生产力反抗现代生产关系、反抗作为资产阶级及其统治的存在条件的所有制关系的历史。只要指出在周期性的重复中越来越危及整个资产阶级社会生存的商业危机就够了。在商业危机期间，总是不仅有很大一部分制成的产品被毁灭掉，而且有很大一部分已经造成的生产力被毁灭掉。在危机期间，发生一种在过去一切时代看来都好像是荒唐现象的社会瘟疫，即生产过剩的瘟疫。社会突然发现自己回到了一时的野蛮状态；仿佛是一次饥荒、一场普遍的毁灭性战争，使社会失去了全部生活资料；仿佛是工业和商业全被毁灭了。这是什么缘故呢？因为社会上文明过度，生活资料太多，工业和商业太发达。社会所拥有的生产力已经不能再促进资产阶级文明和资产阶级所有制关系的发展；相反，生产力已经强大到这种关系所不能适应的地步，它已经受到这种关系的阻碍；而它一着手克服这种障碍，就使整个资产阶级社会陷入混乱，就使资产阶级所有制的存在受到威胁。资产阶级的关系已经太狭窄了，再容纳不了它本身所造成的财富了。资产阶级用什么办法来克服这种危机呢？一方面不得不消灭大量生产力，另一方面夺取新的市场，更加彻底地利用旧的市场。这究竟是怎样的一种办法呢？这不过是资产阶级准备更全面更猛烈的危机的办法，不过是使防止危机的手段越来越少的办法。

资产阶级用来推翻封建制度的武器，现在却对准资产阶级自己了。

但是，资产阶级不仅锻造了置自身于死地的武器；它还产生了将要运用这种武器的人——现代的工人，即**无产者**。

随着资产阶级即资本的发展，无产阶级即现代工人阶级也在同一程度上得到发展；现代的工人只有当他们找到工作的时候才能生存，而且只有当他们的劳动增殖资本的时候才能找到工作。这些不得不把自己零星出卖的工人，像其他任何货物一样，也是一种商品，所以他们同样地受到竞争的一切变化、市场的一切波动的影响。

由于推广机器和分工，无产者的劳动已经失去了任何独立的性质，因而对工人也失去了任何吸引力。工人变成了机器的单纯的附属品，要求他做的只是极其简单、极其单调和极容易学会的操作。因此，花在工人身上的费用，几乎只限于维持工人生活和延续工人后代所必需的生活资料。但是，商品的价格，从而劳动的价格，是同它的生产费用相等的。因此，劳动越使人感到厌恶，工资也就越减少。不仅如此，机器越推广，分工越细致，劳动量①也就越增加，这或者是由于工作时间的延长，或者是由于在一定时间内所要求的劳动的增加，机器运转的加速，等等。

现代工业已经把家长式的师傅的小作坊变成了工业资本家的大工厂。挤在工厂里的工人群众就像士兵一样被组织起来。他们是产业军的普通士兵，受着各级军士和军官的层层监视。他们不仅仅是资产阶级的、资产阶级国家的奴隶，他们每日每时都受机器、受监

① “劳动量”在1888年英文版中是“劳动负担”。——编者注

工、首先是受各个经营工厂的资产者本人的奴役。这种专制制度越是公开地把营利宣布为自己的最终目的，它就越是可鄙、可恨和可恶。

手的操作所要求的技巧和气力越少，换句话说，现代工业越发达，男工也就越受到女工和童工的排挤。对工人阶级来说，性别和年龄的差别再没有什么社会意义了。他们都只是劳动工具，不过因为年龄和性别的不同而需要不同的费用罢了。

当厂主对工人的剥削告一段落，工人领到了用现钱支付的工资的时候，马上就有资产阶级中的另一部分人——房东、小店主、当铺老板等等向他们扑来。

以前的中间等级的下层，即小工业家、小商人和小食利者，手工业者和农民——所有这些阶级都降落到无产阶级的队伍里来了，有的是因为他们的小资本不足以经营大工业，经不起较大的资本家的竞争；有的是因为他们的手艺已经被新的生产方法弄得不值钱了。无产阶级就是这样从居民的所有阶级中得到补充的。

无产阶级经历了各个不同的发展阶段。它反对资产阶级的斗争是和它的存在同时开始的。

最初是单个的工人，然后是某一工厂的工人，然后是某一地方的某一劳动部门的工人，同直接剥削他们的单个资产者作斗争。他们不仅仅攻击资产阶级的生产关系，而且攻击生产工具本身①；他

① 这句话在1888年英文版中是“他们不是攻击资产阶级的生产关系，而是攻击生产工具本身”。——编者注

们毁坏那些来竞争的外国商品，捣毁机器，烧毁工厂，力图恢复已经失去的中世纪工人的地位。

在这个阶段上，工人是分散在全国各地并为竞争所分裂的群众。工人的大规模集结，还不是他们自己联合的结果，而是资产阶级联合的结果，当时资产阶级为了达到自己的政治目的必须而且暂时还能够把整个无产阶级发动起来。因此，在这个阶段上，无产者不是同自己的敌人作斗争，而是同自己的敌人的敌人作斗争，即同专制君主制的残余、地主、非工业资产者和小资产者作斗争。因此，整个历史运动都集中在资产阶级手里；在这种条件下取得的每一个胜利都是资产阶级的胜利。

但是，随着工业的发展，无产阶级不仅人数增加了，而且结合成更大的集体，它的力量日益增长，而且它越来越感觉到自己的力量。机器使劳动的差别越来越小，使工资几乎到处都降到同样低的水平，因而无产阶级内部的利益、生活状况也越来越趋于一致。资产者彼此间日益加剧的竞争以及由此引起的商业危机，使工人的工资越来越不稳定；机器的日益迅速的和继续不断的改良，使工人的整个生活地位越来越没有保障；单个工人和单个资产者之间的冲突越来越具有两个阶级的冲突的性质。工人开始成立反对资产者的同盟①；他们联合起来保卫自己的工资。他们甚至建立了经常性的团体，以便为可能发生的反抗准备食品。有些地方，斗争爆发为

① 在1888年英文版中这里加上了“（工联）”。——编者注

起义。

工人有时也得到胜利，但这种胜利只是暂时的。他们斗争的真正成果并不是直接取得的成功，而是工人的越来越扩大的联合。这种联合由于大工业所造成的日益发达的交通工具而得到发展，这种交通工具把各地的工人彼此联系起来。只要有了这种联系，就能把许多性质相同的地方性的斗争汇合成全国性的斗争，汇合成阶级斗争。而一切阶级斗争都是政治斗争。中世纪的市民靠乡间小道需要几百年才能达到的联合，现代的无产者利用铁路只要几年就可以达到了。

无产者组织成为阶级，从而组织成为政党这件事，不断地由于工人的自相竞争而受到破坏。但是，这种组织总是重新产生，并且一次比一次更强大、更坚固、更有力。它利用资产阶级内部的分裂，迫使他们用法律形式承认工人的个别利益。英国的十小时工作日法案就是一个例子。

旧社会内部的所有冲突在许多方面都促进了无产阶级的发展。资产阶级处于不断的斗争中：最初反对贵族；后来反对同工业进步有利害冲突的那部分资产阶级；经常反对一切外国的资产阶级。在这一切斗争中，资产阶级都不得不向无产阶级呼吁，要求无产阶级援助，这样就把无产阶级卷进了政治运动。于是，资产阶级自己就把自己的教育因素①即反对自身的武器给予了无产阶级。

---

① “教育因素”在1888年英文版中是“政治教育和普通教育的因素”。 ——编者注

其次，我们已经看到，工业的进步把统治阶级的整批成员抛到无产阶级队伍里去，或者至少也使他们的生活条件受到威胁。他们也给无产阶级带来了大量的教育因素①。

最后，在阶级斗争接近决战的时期，统治阶级内部的、整个旧社会内部的瓦解过程，就达到非常强烈、非常尖锐的程度，甚至使得统治阶级中的一小部分人脱离统治阶级而归附于革命的阶级，即掌握着未来的阶级。所以，正像过去贵族中有一部分人转到资产阶级方面一样，现在资产阶级中也有一部分人，特别是已经提高到能从理论上认识整个历史运动的一部分资产阶级思想家，转到无产阶级方面来了。

在当前同资产阶级对立的一切阶级中，只有无产阶级是真正革命的阶级。其余的阶级都随着大工业的发展而日趋没落和灭亡，无产阶级却是大工业本身的产物。

中间等级，即小工业家、小商人、手工业者、农民，他们同资产阶级作斗争，都是为了维护他们这种中间等级的生存，以免于灭亡。所以，他们不是革命的，而是保守的。不仅如此，他们甚至是反动的，因为他们力图使历史的车轮倒转。如果说他们是革命的，那是鉴于他们行将转入无产阶级的队伍，这样，他们就不是维护他们目前的利益，而是维护他们将来的利益，他们就离开自己原来的立场，而站到无产阶级的立场上来。

---

①“大量的教育因素”在1888年英文版中是“启蒙和进步的新因素”。——编者注

流氓无产阶级是旧社会最下层中消极的腐化的部分，他们在一些地方也被无产阶级革命卷到运动里来，但是，由于他们的整个生活状况，他们更甘心于被人收买，去干反动的勾当。

在无产阶级的生活条件中，旧社会的生活条件已经被消灭了。无产者是没有财产的；他们和妻子儿女的关系同资产阶级的家庭关系再没有任何共同之处了；现代的工业劳动，现代的资本压迫，无论在英国或法国，无论在美国或德国，都是一样的，都使无产者失去了任何民族性。法律、道德、宗教在他们看来全都是资产阶级偏见，隐藏在这些偏见后面的全都是资产阶级利益。

过去一切阶级在争得统治之后，总是使整个社会服从于它们发财致富的条件，企图以此来巩固它们已经获得的生活地位。无产者只有废除自己的现存的占有方式，从而废除全部现存的占有方式，才能取得社会生产力。无产者没有什么自己的东西必须加以保护，他们必须摧毁至今保护和保障私有财产的一切。

过去的一切运动都是少数人的，或者为少数人谋利益的运动。无产阶级的运动是绝大多数人的，为绝大多数人谋利益的独立的运动。无产阶级，现今社会的最下层，如果不炸毁构成官方社会的整个上层，就不能抬起头来，挺起胸来。

如果不就内容而就形式来说，无产阶级反对资产阶级的斗争首先是一国范围内的斗争。每一个国家的无产阶级当然首先应该打倒本国的资产阶级。

在叙述无产阶级发展的最一般的阶段的时候，我们循序探讨了现存社会内部或多或少隐蔽着的国内战争，直到这个战争爆发为公开的革命，无产阶级用暴力推翻资产阶级而建立自己的统治。

我们已经看到，至今的一切社会都是建立在压迫阶级和被压迫阶级的对立之上的。但是，为了有可能压迫一个阶级，就必须保证这个阶级至少有能够勉强维持它的奴隶般的生存的条件。农奴曾经在农奴制度下挣扎到公社成员的地位，小资产者曾经在封建专制制度的束缚下挣扎到资产者的地位。现代的工人却相反，他们并不是随着工业的进步而上升，而是越来越降到本阶级的生存条件以下。工人变成赤贫者，贫困比人口和财富增长得还要快。由此可以明显地看出，资产阶级再不能做社会的统治阶级了，再不能把自己阶级的生存条件当做支配一切的规律强加于社会了。资产阶级不能统治下去了，因为它甚至不能保证自己的奴隶维持奴隶的生活，因为它不得不让自己的奴隶落到不能养活它反而要它来养活的地步。社会再不能在它统治下生存下去了，就是说，它的生存不再同社会相容了。

资产阶级生存和统治的根本条件，是财富在私人手里的积累，是资本的形成和增殖；资本的条件是雇佣劳动。雇佣劳动完全是建立在工人的自相竞争之上的。资产阶级无意中造成而又无力抵抗的工业进步，使工人通过结社而达到的革命联合代替了他们由于竞争而造成的分散状态。于是，随着大工业的发展，资产阶级赖以生产和占有产品的基础本身也就从它的脚下被挖掉了。它首先生产的是它自身的掘墓人。资产阶级的灭亡和无产阶级的胜利是同样不可避免的。

二　无产者和共产党人

共产党人同全体无产者的关系是怎样的呢？

共产党人不是同其他工人政党相对立的特殊政党。

他们没有任何同整个无产阶级的利益不同的利益。

他们不提出任何特殊的[①]原则，用以塑造无产阶级的运动。

共产党人同其他无产阶级政党不同的地方只是：一方面，在无产者不同的民族的斗争中，共产党人强调和坚持整个无产阶级共同的不分民族的利益；另一方面，在无产阶级和资产阶级的斗争所经历的各个发展阶段上，共产党人始终代表整个运动的利益。

因此，在实践方面，共产党人是各国工人政党中最坚决的、始终起推动作用的部分[②]；在理论方面，他们胜过其余无产阶级群众

① “特殊的”在1888年英文版中是“宗派的”。——编者注

② “最坚决的、始终起推动作用的部分”在1888年英文版中是“最先进的和最坚决的部分，推动所有其他部分前进的部分”。——编者注

的地方在于他们了解无产阶级运动的条件、进程和一般结果。

共产党人的最近目的是和其他一切无产阶级政党的最近目的一样的：使无产阶级形成为阶级，推翻资产阶级的统治，由无产阶级夺取政权。

共产党人的理论原理，决不是以这个或那个世界改革家所发明或发现的思想、原则为根据的。

这些原理不过是现存的阶级斗争、我们眼前的历史运动的真实关系的一般表述。废除先前存在的所有制关系，并不是共产主义所独具的特征。

一切所有制关系都经历了经常的历史更替、经常的历史变更。

例如，法国革命废除了封建的所有制，代之以资产阶级的所有制。

共产主义的特征并不是要废除一般的所有制，而是要废除资产阶级的所有制。

但是，现代的资产阶级私有制是建立在阶级对立上面、建立在一些人对另一些人的剥削①上面的产品生产和占有的最后而又最完备的表现。

从这个意义上说，共产党人可以把自己的理论概括为一句话：消灭私有制。

有人责备我们共产党人，说我们要消灭个人挣得的、自己劳动

---

① "一些人对另一些人的剥削"在1888年英文版中是"少数人对多数人的剥削"。——编者注

得来的财产，要消灭构成个人的一切自由、活动和独立的基础的财产。

好一个劳动得来的、自己挣得的、自己赚来的财产！你们说的是资产阶级财产出现以前的那种小资产阶级的、小农的财产吗？那种财产用不着我们去消灭，工业的发展已经把它消灭了，而且每天都在消灭它。

或者，你们说的是现代的资产阶级的私有财产吧？

但是，难道雇佣劳动、无产者的劳动，会给无产者创造出财产来吗？没有的事。这种劳动所创造的是资本，即剥削雇佣劳动的财产，只有在不断产生出新的雇佣劳动来重新加以剥削的条件下才能增殖的财产。现今的这种财产是在资本和雇佣劳动的对立中运动的。让我们来看看这种对立的两个方面吧。

做一个资本家，这就是说，他在生产中不仅占有一种纯粹个人的地位，而且占有一种社会的地位。资本是集体的产物，它只有通过社会许多成员的共同活动，而且归根到底只有通过社会全体成员的共同活动，才能运动起来。

因此，资本不是一种个人力量，而是一种社会力量。

因此，把资本变为公共的、属于社会全体成员的财产，这并不是把个人财产变为社会财产。这里所改变的只是财产的社会性质。它将失掉它的阶级性质。

现在，我们来看看雇佣劳动。

雇佣劳动的平均价格是最低限度的工资，即工人为维持其工人的生活所必需的生活资料的数额。因此，雇佣工人靠自己的劳动所占有的东西，只够勉强维持他的生命的再生产。我们决不打算消灭这种供直接生命再生产用的劳动产品的个人占有，这种占有并不会留下任何剩余的东西使人们有可能支配别人的劳动。我们要消灭的只是这种占有的可怜的性质，在这种占有下，工人仅仅为增殖资本而活着，只有在统治阶级的利益需要他活着的时候才能活着。

在资产阶级社会里，活的劳动只是增殖已经积累起来的劳动的一种手段。在共产主义社会里，已经积累起来的劳动只是扩大、丰富和提高工人的生活的一种手段。

因此，在资产阶级社会里是过去支配现在，在共产主义社会里是现在支配过去。在资产阶级社会里，资本具有独立性和个性，而活动着的个人却没有独立性和个性。

而资产阶级却把消灭这种关系说成是消灭个性和自由！说对了。的确，正是要消灭资产者的个性、独立性和自由。

在现今的资产阶级生产关系的范围内，所谓自由就是自由贸易、自由买卖。

但是，买卖一消失，自由买卖也就会消失。关于自由买卖的言论，也像我们的资产者的其他一切关于自由的大话一样，仅仅对于不自由的买卖来说，对于中世纪被奴役的市民来说，才是有意义的，而对于共产主义要消灭买卖、消灭资产阶级生产关系和资产阶级本身这一点来说，却是毫无意义的。

我们要消灭私有制，你们就惊慌起来。但是，在你们的现存社会里，私有财产对十分之九的成员来说已经被消灭了；这种私有制之所以存在，正是因为私有财产对十分之九的成员来说已经不存在。可见，你们责备我们，是说我们要消灭那种以社会上的绝大多数人没有财产为必要条件的所有制。

总而言之，你们责备我们，是说我们要消灭你们的那种所有制。的确，我们是要这样做的。

从劳动不再能变为资本、货币、地租，一句话，不再能变为可以垄断的社会力量的时候起，就是说，从个人财产不再能变为资产阶级财产[①] 的时候起，你们说，个性被消灭了。

由此可见，你们是承认，你们所理解的个性，不外是资产者、资产阶级私有者。这样的个性确实应当被消灭。

共产主义并不剥夺任何人占有社会产品的权力，它只剥夺利用这种占有去奴役他人劳动的权力。

有人反驳说，私有制一消灭，一切活动就会停止，懒惰之风就会兴起。

这样说来，资产阶级社会早就应该因懒惰而灭亡了，因为在这个社会里劳者不获，获者不劳。所有这些顾虑，都可以归结为这样一个同义反复：一旦没有资本，也就不再有雇佣劳动了。

所有这些对共产主义的物质产品的占有方式和生产方式的责备，也被扩展到精神产品的占有和生产方面。正如阶级的所有制的

---

① 在 1888 年英文版中这里加上了“变为资本”。——编者注

终止在资产者看来是生产本身的终止一样，阶级的教育的终止在他们看来就等于一切教育的终止。

资产者唯恐失去的那种教育，对绝大多数人来说是把人训练成机器。

但是，你们既然用你们资产阶级关于自由、教育、法等等的观念来衡量废除资产阶级所有制的主张，那就请你们不要同我们争论了。你们的观念本身是资产阶级的生产关系和所有制关系的产物，正像你们的法不过是被奉为法律的你们这个阶级的意志一样，而这种意志的内容是由你们这个阶级的物质生活条件来决定的。

你们的利己观念使你们把自己的生产关系和所有制关系从历史的、在生产过程中是暂时的关系变成永恒的自然规律和理性规律，这种利己观念是你们和一切灭亡了的统治阶级所共有的。谈到古代所有制的时候你们所能理解的，谈到封建所有制的时候你们所能理解的，一谈到资产阶级所有制你们就再也不能理解了。

消灭家庭！连极端的激进派也对共产党人的这种可耻的意图表示愤慨。

现代的、资产阶级的家庭是建立在什么基础上的呢？是建立在资本上面，建立在私人发财上面的。这种家庭只是在资产阶级那里才以充分发展的形式存在着，而无产者的被迫独居和公开的卖淫则是它的补充。

资产者的家庭自然会随着它的这种补充的消失而消失，两者都要随着资本的消失而消失。

你们是责备我们要消灭父母对子女的剥削吗？我们承认这种罪状。

但是，你们说，我们用社会教育代替家庭教育，就是要消灭人们最亲密的关系。

而你们的教育不也是由社会决定的吗？不也是由你们进行教育时所处的那种社会关系决定的吗？不也是由社会通过学校等等进行的直接的或间接的干涉决定的吗？共产党人并没有发明社会对教育的作用；他们仅仅是要改变这种作用的性质，要使教育摆脱统治阶级的影响。

无产者的一切家庭联系越是由于大工业的发展而被破坏，他们的子女越是由于这种发展而被变成单纯的商品和劳动工具，资产阶级关于家庭和教育、关于父母和子女的亲密关系的空话就越是令人作呕。

但是，你们共产党人是要实行公妻制的啊。整个资产阶级异口同声地向我们这样叫喊。

资产者是把自己的妻子看做单纯的生产工具的。他们听说生产工具将要公共使用，自然就不能不想到妇女也会遭到同样的命运。

他们想也没有想到，问题正在于使妇女不再处于单纯生产工具的地位。

其实，我们的资产者装得道貌岸然，对所谓的共产党人的正式公妻制表示惊讶，那是再可笑不过了。公妻制无需共产党人来实行，它差不多是一向就有的。

我们的资产者不以他们的无产者的妻子和女儿受他们支配为满足，正式的卖淫更不必说了，他们还以互相诱奸妻子为最大的享乐。

资产阶级的婚姻实际上是公妻制。人们至多只能责备共产党人，说他们想用正式的、公开的公妻制来代替伪善地掩蔽着的公妻制。其实，不言而喻，随着现在的生产关系的消灭，从这种关系中产生的公妻制，即正式的和非正式的卖淫，也就消失了。

有人还责备共产党人，说他们要取消祖国，取消民族。

工人没有祖国。决不能剥夺他们所没有的东西。因为无产阶级首先必须取得政治统治，上升为民族的阶级①，把自身组织成为民族，所以它本身还是民族的，虽然完全不是资产阶级所理解的那种意思。

随着资产阶级的发展，随着贸易自由的实现和世界市场的建立，随着工业生产以及与之相适应的生活条件的趋于一致，各国人民之间的民族分隔和对立日益消失。

无产阶级的统治将使它们更快地消失。联合的行动，至少是各文明国家的联合的行动，是无产阶级获得解放的首要条件之一。

人对人的剥削一消灭，民族对民族的剥削就会随之消灭。

民族内部的阶级对立一消失，民族之间的敌对关系就会随之消失。

---

① “民族的阶级”在1888年英文版中是“民族的领导阶级”。——编者注

从宗教的、哲学的和一切意识形态的观点对共产主义提出的种种责难，都不值得详细讨论了。

人们的观念、观点和概念，一句话，人们的意识，随着人们的生活条件、人们的社会关系、人们的社会存在的改变而改变，这难道需要经过深思才能了解吗？

思想的历史除了证明精神生产随着物质生产的改造而改造，还证明了什么呢？任何一个时代的统治思想始终都不过是统治阶级的思想。

当人们谈到使整个社会革命化的思想时，他们只是表明了一个事实：在旧社会内部已经形成了新社会的因素，旧思想的瓦解是同旧生活条件的瓦解步调一致的。

当古代世界走向灭亡的时候，古代的各种宗教就被基督教战胜了。当基督教思想在18世纪被启蒙思想击败的时候，封建社会正在同当时革命的资产阶级进行殊死的斗争。信仰自由和宗教自由的思想，不过表明自由竞争在信仰领域①里占统治地位罢了。

“但是”，有人会说，“宗教的、道德的、哲学的、政治的、法的观念等等在历史发展的进程中固然是不断改变的，而宗教、道德、哲学、政治和法在这种变化中却始终保存着。

此外，还存在着一切社会状态所共有的永恒真理，如自由、正义等等。但是共产主义要废除永恒真理，它要废除宗教、道德，而

① “信仰领域”在1872、1883和1890年德文版中是“知识领域”。——编者注

不是加以革新，所以共产主义是同至今的全部历史发展相矛盾的。”

这种责难归结为什么呢？至今的一切社会的历史都是在阶级对立中运动的，而这种对立在不同的时代具有不同的形式。

但是，不管阶级对立具有什么样的形式，社会上一部分人对另一部分人的剥削却是过去各个世纪所共有的事实。因此，毫不奇怪，各个世纪的社会意识，尽管形形色色、千差万别，总是在某些共同的形式中运动的，这些形式，这些意识形式，只有当阶级对立完全消失的时候才会完全消失。

共产主义革命就是同传统的所有制关系实行最彻底的决裂；毫不奇怪，它在自己的发展进程中要同传统的观念实行最彻底的决裂。

不过，我们还是把资产阶级对共产主义的种种责难撇开吧。

前面我们已经看到，工人革命的第一步就是使无产阶级上升为统治阶级，争得民主。

无产阶级将利用自己的政治统治，一步一步地夺取资产阶级的全部资本，把一切生产工具集中在国家即组织成为统治阶级的无产阶级手里，并且尽可能快地增加生产力的总量。

要做到这一点，当然首先必须对所有权和资产阶级生产关系实行强制性的干涉，也就是采取这样一些措施，这些措施在经济上似乎是不够充分的和无法持续的，但是在运动进程中它们会越出本身，[①] 而且作为变革全部生产方式的手段是必不可少的。

---

① 在1888年英文版中这里加上了“使进一步向旧的社会制度进攻成为必要”。——编者注

这些措施在不同的国家里当然会是不同的。

但是，最先进的国家几乎都可以采取下面的措施：

1. 剥夺地产，把地租用于国家支出。

2. 征收高额累进税。

3. 废除继承权。

4. 没收一切流亡分子和叛乱分子的财产。

5. 通过拥有国家资本和独享垄断权的国家银行，把信贷集中在国家手里。

6. 把全部运输业集中在国家手里。

7. 按照共同的计划增加国家工厂和生产工具，开垦荒地和改良土壤。

8. 实行普遍劳动义务制，成立产业军，特别是在农业方面。

9. 把农业和工业结合起来，促使城乡对立①逐步消灭。②

10. 对所有儿童实行公共的和免费的教育。取消现在这种形式的儿童的工厂劳动。把教育同物质生产结合起来，等等。

当阶级差别在发展进程中已经消失而全部生产集中在联合起来的个人③的手里的时候，公共权力就失去政治性质。原来意义上的政治权力，是一个阶级用以压迫另一个阶级的有组织的暴力。如果

---

① “对立”在1872、1883和1890年德文版中是“差别”。——编者注

② 在1888年英文版中这一条是：“把农业和工业结合起来；通过把人口更平均地分布于全国的办法逐步消灭城乡差别。”——编者注

③ “联合起来的个人”在1888年英文版中是“巨大的全国联合体”。——编者注

说无产阶级在反对资产阶级的斗争中一定要联合为阶级，通过革命使自己成为统治阶级，并以统治阶级的资格用暴力消灭旧的生产关系，那么它在消灭这种生产关系的同时，也就消灭了阶级对立的存在条件，消灭了阶级本身的存在条件①，从而消灭了它自己这个阶级的统治。

代替那存在着阶级和阶级对立的资产阶级旧社会的，将是这样一个联合体，在那里，每个人的自由发展是一切人的自由发展的条件。

① “消灭了阶级本身的存在条件”在1872、1883和1890年德文版中是“消灭了阶级本身”。——编者注

三　社会主义的和共产主义的文献

1. 反动的社会主义

（甲）封建的社会主义

法国和英国的贵族，按照他们的历史地位所负的使命，就是写一些抨击现代资产阶级社会的作品。在法国的1830年七月革命和英国的改革运动中，他们再一次被可恨的暴发户打败了。从此就再谈不上严重的政治斗争了。他们还能进行的只是文字斗争。但是，即使在文字方面也不可能重弹复辟时期①的老调了。为了激起同情，贵族们不得不装模作样，似乎他们已经不关心自身的利益，只是为了被剥削的工人阶级的利益才去写对资产阶级的控诉书。他们用来泄愤的手段是：唱唱诅咒他们的新统治者的歌，并向他叽叽咕咕地说一些或多或少凶险的预言。

---

① 恩格斯在1888年英文版上加了一个注："这里所指的不是1660—1689年英国的复辟时期，而是1814—1830年法国的复辟时期。"——编者注

这样就产生了封建的社会主义，半是挽歌，半是谤文，半是过去的回音，半是未来的恫吓；它有时也能用辛辣、俏皮而尖刻的评论刺中资产阶级的心，但是它由于完全不能理解现代历史的进程而总是令人感到可笑。

为了拉拢人民，贵族们把无产阶级的乞食袋当做旗帜来挥舞。但是，每当人民跟着他们走的时候，都发现他们的臀部带有旧的封建纹章，于是就哈哈大笑，一哄而散。

一部分法国正统派和“青年英国”，都演过这出戏。

封建主说，他们的剥削方式和资产阶级的剥削不同，那他们只是忘记了，他们是在完全不同的、目前已经过时的情况和条件下进行剥削的。他们说，在他们的统治下并没有出现过现代的无产阶级，那他们只是忘记了，现代的资产阶级正是他们的社会制度的必然产物。

不过，他们毫不掩饰自己的批评的反动性质，他们控告资产阶级的主要罪状正是在于：在资产阶级的统治下有一个将把整个旧社会制度炸毁的阶级发展起来。

他们责备资产阶级，与其说是因为它产生了无产阶级，不如说是因为它产生了革命的无产阶级。

因此，在政治实践中，他们参与对工人阶级采取的一切暴力措施，在日常生活中，他们违背自己的那一套冠冕堂皇的言辞，屈尊拾取金苹果①，不顾信义、仁爱和名誉去做羊毛、甜菜和烧酒的买

① “金苹果”在1888年英文版中是“工业树上掉下来的金苹果”。——编者注

卖。①

正如僧侣总是同封建主携手同行一样，僧侣的社会主义也总是同封建的社会主义携手同行的。

要给基督教禁欲主义涂上一层社会主义的色彩，是再容易不过了。基督教不是也激烈反对私有财产，反对婚姻，反对国家吗？它不是提倡用行善和求乞、独身和禁欲、修道和礼拜来代替这一切吗？基督教的社会主义，只不过是僧侣用来使贵族的怨愤神圣化的圣水罢了。

（乙）小资产阶级的社会主义

封建贵族并不是被资产阶级所推翻的、其生活条件在现代资产阶级社会里日益恶化和消失的唯一阶级。中世纪的城关市民和小农等级是现代资产阶级的前身。在工商业不很发达的国家里，这个阶级还在新兴的资产阶级身旁勉强生存着。

在现代文明已经发展的国家里，形成了一个新的小资产阶级，它摇摆于无产阶级和资产阶级之间，并且作为资产阶级社会的补充部分不断地重新组成。但是，这一阶级的成员经常被竞争抛到无产阶级队伍里去，而且，随着大工业的发展，他们甚至觉察到，他们很快就会完全失去他们作为现代社会中一个独立部分的地位，在商

---

① 恩格斯在1888年英文版上加了一个注："这里主要是指德国，那里的土地贵族和容克通过管事自行经营自己的很大一部分土地，他们还开设大规模的甜菜糖厂和土豆酒厂。较富有的英国贵族还没有落到这种地步；但是，他们也知道怎样让人家用他们的名义创办颇为可疑的股份公司，以补偿地租的下降。"——编者注

业、工场手工业和农业中很快就会被监工和雇员所代替。

在农民阶级远远超过人口半数的国家，例如在法国，那些站在无产阶级方面反对资产阶级的著作家，自然是用小资产阶级和小农的尺度去批判资产阶级制度的，是从小资产阶级的立场出发替工人说话的。这样就形成了小资产阶级的社会主义。西斯蒙第不仅对法国而且对英国来说都是这类著作家的首领。

这种社会主义非常透彻地分析了现代生产关系中的矛盾。它揭穿了经济学家的虚伪的粉饰。它确凿地证明了机器和分工的破坏作用、资本和地产的积聚、生产过剩、危机、小资产者和小农的必然没落、无产阶级的贫困、生产的无政府状态、财富分配的极不平均、各民族之间的毁灭性的工业战争，以及旧风尚、旧家庭关系和旧民族性的解体。

但是，这种社会主义按其实际内容来说，或者是企图恢复旧的生产资料和交换手段，从而恢复旧的所有制关系和旧的社会，或者是企图重新把现代的生产资料和交换手段硬塞到已被它们突破而且必然被突破的旧的所有制关系的框子里去。它在这两种场合都是反动的，同时又是空想的。

工场手工业中的行会制度，农业中的宗法经济。这就是它的结论。

这一思潮在它以后的发展中变成了一种怯懦的悲叹。①

---

① 在 1888 年英文版中这一句是："最后，当顽强的历史事实把自我欺骗的一切醉梦驱散的时候，这种形式的社会主义就化为一种可怜的哀愁。"——编者注

(丙）德国的或“真正的”社会主义

法国的社会主义和共产主义的文献是在居于统治地位的资产阶级的压迫下产生的，并且是同这种统治作斗争的文字表现，这种文献被搬到德国的时候，那里的资产阶级才刚刚开始进行反对封建专制制度的斗争。

德国的哲学家、半哲学家和美文学家，贪婪地抓住了这种文献，不过他们忘记了：在这种著作从法国搬到德国的时候，法国的生活条件却没有同时搬过去。在德国的条件下，法国的文献完全失去了直接实践的意义，而只具有纯粹文献的形式。它必然表现为关于真正的社会、关于实现人的本质的无谓思辨。这样，第一次法国革命的要求，在18世纪的德国哲学家看来，不过是一般“实践理性”的要求，而革命的法国资产阶级的意志的表现，在他们心目中就是纯粹的意志、本来的意志、真正人的意志的规律。

德国著作家的唯一工作，就是把新的法国的思想同他们的旧的哲学信仰调和起来，或者毋宁说，就是从他们的哲学观点出发去掌握法国的思想。

这种掌握，就像掌握外国语一样，是通过翻译的。

大家知道，僧侣们曾经在古代异教经典的手抄本上面写上荒诞的天主教圣徒传。德国著作家对世俗的法国文献采取相反的做法。他们在法国的原著下面写上自己的哲学胡说。例如，他们在法国人对货币关系的批判下面写上“人的本质的外化”，在法国人对资产阶级国家的批判下面写上所谓“抽象普遍物的统治的扬弃”，等等。

这种在法国人的论述下面塞进自己哲学词句的做法，他们称之为“行动的哲学”、“真正的社会主义”、“德国的社会主义科学”、“社会主义的哲学论证”，等等。

法国的社会主义和共产主义的文献就这样被完全阉割了。既然这种文献在德国人手里已不再表现一个阶级反对另一个阶级的斗争，于是德国人就认为：他们克服了“法国人的片面性”，他们不代表真实的要求，而代表真理的要求，不代表无产者的利益，而代表人的本质的利益，即一般人的利益，这种人不属于任何阶级，根本不存在于现实界，而只存在于云雾弥漫的哲学幻想的太空。

这种曾经郑重其事地看待自己那一套拙劣的小学生作业并且大言不惭地加以吹嘘的德国社会主义，现在渐渐失去了它的自炫博学的天真。

德国的特别是普鲁士的资产阶级反对封建主和专制王朝的斗争，一句话，自由主义运动，越来越严重了。

于是，“真正的”社会主义就得到了一个好机会，把社会主义的要求同政治运动对立起来，用诅咒异端邪说的传统办法诅咒自由主义，诅咒代议制国家，诅咒资产阶级的竞争、资产阶级的新闻出版自由、资产阶级的法、资产阶级的自由和平等，并且向人民群众大肆宣扬，说什么在这个资产阶级运动中，人民群众非但一无所得，反而会失去一切。德国的社会主义恰好忘记了，法国的批判（德国的社会主义是这种批判的可怜的回声）是以现代的资产阶级社会以及相应的物质生活条件和相当的政治制度为前提的，而这一切前提当时在德国正是尚待争取的。

这种社会主义成了德意志各邦专制政府及其随从——僧侣、教员、容克和官僚求之不得的、吓唬来势汹汹的资产阶级的稻草人。

这种社会主义是这些政府用来镇压德国工人起义的毒辣的皮鞭和枪弹的甜蜜的补充。

既然"真正的"社会主义就这样成了这些政府对付德国资产阶级的武器，那么它也就直接代表了一种反动的利益，即德国小市民的利益。在德国，16 世纪遗留下来的、从那时起经常以不同形式重新出现的小资产阶级，是现存制度的真实的社会基础。

保存这个小资产阶级，就是保存德国的现存制度。这个阶级胆战心惊地从资产阶级的工业统治和政治统治那里等候着无可幸免的灭亡，这一方面是由于资本的积聚，另一方面是由于革命无产阶级的兴起。在它看来，"真正的"社会主义能起一箭双雕的作用。"真正的"社会主义像瘟疫一样流行起来了。

德国的社会主义者给自己的那几条干瘪的"永恒真理"披上一件用思辨的蛛丝织成的、绣满华丽辞藻的花朵和浸透甜情蜜意的甘露的外衣，这件光彩夺目的外衣只是使他们的货物在这些顾客中间增加销路罢了。

同时，德国的社会主义也越来越认识到自己的使命就是充当这种小市民的夸夸其谈的代言人。

它宣布德意志民族是模范的民族，德国小市民是模范的人。它给这些小市民的每一种丑行都加上奥秘的、高尚的、社会主义的意义，使之变成完全相反的东西。它发展到最后，就直接反对共产主义的“野蛮破坏的”倾向，并且宣布自己是不偏不倚地超乎任何阶级斗争之上的。现今在德国流行的一切所谓社会主义和共产主义的著作，除了极少数的例外，都属于这一类卑鄙龌龊的、令人委靡的文献。①

2. 保守的或资产阶级的社会主义

资产阶级中的一部分人想要消除社会的弊病，以便保障资产阶级社会的生存。

这一部分人包括：经济学家、博爱主义者、人道主义者、劳动阶级状况改善派、慈善事业组织者、动物保护协会会员、戒酒协会发起人以及形形色色的小改良家。这种资产阶级的社会主义甚至被制成一些完整的体系。

我们可以举蒲鲁东的《贫困的哲学》② 作为例子。

社会主义的资产者愿意要现代社会的生存条件，但是不要由这些条件必然产生的斗争和危险。他们愿意要现存的社会，但是不要那些使这个社会革命化和瓦解的因素。他们愿意要资产阶级，但是

---

① 恩格斯在 1890 年德文版上加了一个注：“1848 年的革命风暴已经把这个可恶的流派一扫而光，并且使这一流派的代表人物再也没有兴趣搞社会主义了。这一流派的主要代表和典型人物是卡尔·格律恩先生。”——编者注

② 皮·约·蒲鲁东《经济矛盾的体系，或贫困的哲学》1846 年巴黎版第 1—2 卷。——编者注

不要无产阶级。在资产阶级看来，它所统治的世界自然是最美好的世界。资产阶级的社会主义把这种安慰人心的观念制成半套或整套的体系。它要求无产阶级实现它的体系，走进新的耶路撒冷，其实它不过是要求无产阶级停留在现今的社会里，但是要抛弃他们关于这个社会的可恶的观念。

这种社会主义的另一种不够系统、但是比较实际的形式，力图使工人阶级厌弃一切革命运动，硬说能给工人阶级带来好处的并不是这样或那样的政治改革，而仅仅是物质生活条件即经济关系的改变。但是，这种社会主义所理解的物质生活条件的改变，绝对不是只有通过革命的途径才能实现的资产阶级生产关系的废除，而是一些在这种生产关系的基础上实行的行政上的改良，因而丝毫不会改变资本和雇佣劳动的关系，至多只能减少资产阶级的统治费用和简化它的财政管理。

资产阶级的社会主义只有在它变成纯粹的演说辞令的时候，才获得自己的适当的表现。

自由贸易！为了工人阶级的利益；保护关税！为了工人阶级的利益；单人牢房！为了工人阶级的利益。这才是资产阶级的社会主义唯一真实的结论。

资产阶级的社会主义就是这样一个论断：资产者之为资产者，是为了工人阶级的利益。

3. 批判的空想的社会主义和共产主义

在这里，我们不谈在现代一切大革命中表达过无产阶级要求的文献（巴贝夫等人的著作）。

无产阶级在普遍激动的时代、在推翻封建社会的时期直接实现自己阶级利益的最初尝试，都不可避免地遭到了失败，这是由于当时无产阶级本身还不够发展，由于无产阶级解放的物质条件还没有具备，这些条件只是资产阶级时代的产物。随着这些早期的无产阶级运动而出现的革命文献，就其内容来说必然是反动的。这种文献倡导普遍的禁欲主义和粗陋的平均主义。

本来意义的社会主义和共产主义的体系，圣西门、傅立叶、欧文等人的体系，是在无产阶级和资产阶级之间的斗争还不发展的最初时期出现的。关于这个时期，我们在前面已经叙述过了（见《资产阶级和无产阶级》①）。

诚然，这些体系的发明家看到了阶级的对立，以及占统治地位的社会本身中的瓦解因素的作用。但是，他们看不到无产阶级方面的任何历史主动性，看不到它所特有的任何政治运动。

由于阶级对立的发展是同工业的发展步调一致的，所以这些发明家也不可能看到无产阶级解放的物质条件，于是他们就去探求某种社会科学、社会规律，以便创造这些条件。

---

① 指《共产党宣言》第 1 章《资产者和无产者》。——编者注

社会的活动要由他们个人的发明活动来代替，解放的历史条件要由幻想的条件来代替，无产阶级的逐步组织成为阶级要由一种特意设计出来的社会组织来代替。在他们看来，今后的世界历史不过是宣传和实施他们的社会计划。

诚然，他们也意识到，他们的计划主要是代表工人阶级这一受苦最深的阶级的利益。在他们的心目中，无产阶级只是一个受苦最深的阶级。

但是，由于阶级斗争不发展，由于他们本身的生活状况，他们就以为自己是高高超乎这种阶级对立之上的。他们要改善社会一切成员的生活状况，甚至生活最优裕的成员也包括在内。因此，他们总是不加区别地向整个社会呼吁，而且主要是向统治阶级呼吁。他们以为，人们只要理解他们的体系，就会承认这种体系是最美好的社会的最美好的计划。

因此，他们拒绝一切政治行动，特别是一切革命行动；他们想通过和平的途径达到自己的目的，并且企图通过一些小型的、当然不会成功的试验，通过示范的力量来为新的社会福音开辟道路。

这种对未来社会的幻想的描绘，在无产阶级还很不发展，因而对本身的地位的认识还基于幻想的时候，是同无产阶级对社会普遍改造的最初的本能的渴望相适应的。①

① 这段话在1872、1883和1890年德文版中是："这种对未来社会的幻想的描绘，是在无产阶级还很不发展，因而对本身的地位的认识还基于幻想的时候，从无产阶级对社会普遍改造的最初的本能的渴望中产生的。"——编者注

但是，这些社会主义和共产主义的著作也含有批判的成分。这些著作抨击现存社会的全部基础。因此，它们提供了启发工人觉悟的极为宝贵的材料。它们关于未来社会的积极的主张，例如消灭城乡对立[①]、消灭家庭、消灭私人营利、消灭雇佣劳动、提倡社会和谐、把国家变成纯粹的生产管理机构——所有这些主张都只是表明要消灭阶级对立，而这种阶级对立在当时刚刚开始发展，它们所知道的只是这种对立的早期的、不明显的、不确定的形式。因此，这些主张本身还带有纯粹空想的性质。

批判的空想的社会主义和共产主义的意义，是同历史的发展成反比的。阶级斗争越发展和越具有确定的形式，这种超乎阶级斗争的幻想，这种反对阶级斗争的幻想，就越失去任何实践意义和任何理论根据。所以，虽然这些体系的创始人在许多方面是革命的，但是他们的信徒总是组成一些反动的宗派。这些信徒无视无产阶级的历史进展，还是死守着老师们的旧观点。因此，他们一贯企图削弱阶级斗争，调和对立。他们还总是梦想用试验的办法来实现自己的社会空想，创办单个的法伦斯泰尔，建立国内移民区，创立小伊加利亚，[②]即袖珍版

① “城乡对立”在1888年英文版中是“城乡差别”。——编者注

② 恩格斯在1888年英文版上加了一个注：“法伦斯泰尔是沙尔·傅立叶所设计的社会主义移民区；伊加利亚是卡贝给自己的理想国和后来他在美洲创立的共产主义移民区所起的名称。”

恩格斯在1890年德文版上加了一个注：“国内移民区是欧文给他的共产主义的模范社会所起的名称。法伦斯泰尔是傅立叶所设计的社会宫的名称。伊加利亚是卡贝所描绘的那种共产主义制度的乌托邦幻想国。”——编者注

的新耶路撒冷。而为了建造这一切空中楼阁，他们就不得不呼吁资产阶级发善心和慷慨解囊。他们逐渐地堕落到上述反动的或保守的社会主义者的一伙中去了，所不同的只是他们更加系统地卖弄学问，狂热地迷信自己那一套社会科学的奇功异效。

因此，他们激烈地反对工人的一切政治运动，认为这种运动只是由于盲目地不相信新福音才发生的。

在英国，有欧文派反对宪章派，在法国，有傅立叶派反对改革派。

四　共产党人对各种反对党派的态度

看过第二章之后，就可以了解共产党人同已经形成的工人政党的关系，因而也就可以了解他们同英国宪章派和北美土地改革派的关系。

共产党人为工人阶级的最近的目的和利益而斗争，但是他们在当前的运动中同时代表运动的未来。在法国，共产党人同社会主义民主党①联合起来反对保守的和激进的资产阶级，但是并不因此放弃对那些从革命的传统中承袭下来的空谈和幻想采取批判态度的

---

① 恩格斯在1888年英文版上加了一个注："当时这个党在议会中的代表是赖德律－洛兰，在著作界的代表是路易·勃朗，在报纸方面的代表是《改革报》。'社会主义民主党'这个名称在它的发明者那里是指民主党或共和党中或多或少带有社会主义色彩的一部分人。"

恩格斯在1890年德文版上加了一个注："当时在法国以社会主义民主党自称的政党，在政治方面的代表是赖德律－洛兰，在著作界的代表是路易·勃朗；因此，它同现今的德国社会民主党是有天壤之别的。"——编者注

权利。

在瑞士，共产党人支持激进派，但是并不忽略这个政党是由互相矛盾的分子组成的，其中一部分是法国式的民主社会主义者，一部分是激进的资产者。

在波兰人中间，共产党人支持那个把土地革命当做民族解放的条件的政党，即发动过 1846 年克拉科夫起义的政党。

在德国，只要资产阶级采取革命的行动，共产党就同它一起去反对专制君主制、封建土地所有制和小资产阶级。

但是，共产党一分钟也不忽略教育工人尽可能明确地意识到资产阶级和无产阶级的敌对的对立，以便德国工人能够立刻利用资产阶级统治所必然带来的社会的和政治的条件作为反对资产阶级的武器，以便在推翻德国的反动阶级之后立即开始反对资产阶级本身的斗争。

共产党人把自己的主要注意力集中在德国，因为德国正处在资产阶级革命的前夜，因为同 17 世纪的英国和 18 世纪的法国相比，德国将在整个欧洲文明更进步的条件下，拥有发展得多的无产阶级去实现这个变革，因而德国的资产阶级革命只能是无产阶级革命的直接序幕。

总之，共产党人到处都支持一切反对现存的社会制度和政治制度的革命运动。

在所有这些运动中，他们都强调所有制问题是运动的基本问题，不管这个问题的发展程度怎样。

最后，共产党人到处都努力争取全世界民主政党之间的团结和协调。

共产党人不屑于隐瞒自己的观点和意图。他们公开宣布：他们的目的只有用暴力推翻全部现存的社会制度才能达到。让统治阶级在共产主义革命面前发抖吧。无产者在这个革命中失去的只是锁链。他们获得的将是整个世界。

全世界无产者，联合起来！

卡·马克思和弗·恩格斯写于
1847 年 12 月—1848 年 1 月底
1848 年 2 月以小册子形式在伦敦出版

原文是德文

选自《马克思恩格斯选集》第 3 版第 1 卷第 399—435 页

统　　筹：任　超
策划编辑：宋军花　崔继新
责任编辑：孔　欢
封面设计：石笑梦

图书在版编目（CIP）数据

重读《共产党宣言》/ 陈学明 著 . —北京：人民出版社，2018.5
ISBN 978－7－01－019321－2

I. ①重…　II. ①陈…　III. ①《共产党宣言》　IV. ① A122

中国版本图书馆 CIP 数据核字（2018）第 075770 号

重读《共产党宣言》
CHONGDU GONGCHANDANG XUANYAN

陈学明　著

人民出版社 出版发行
（100706　北京市东城区隆福寺街 99 号）

北京汇林印务有限公司印刷　新华书店经销

2018 年 5 月第 1 版　2018 年 5 月北京第 1 次印刷
开本：710 毫米 ×1000 毫米 1/16　印张：14
字数：143 千字

ISBN 978－7－01－019321－2　定价：45.00 元

邮购地址 100706　北京市东城区隆福寺街 99 号
人民东方图书销售中心　电话（010）65250042　65289539